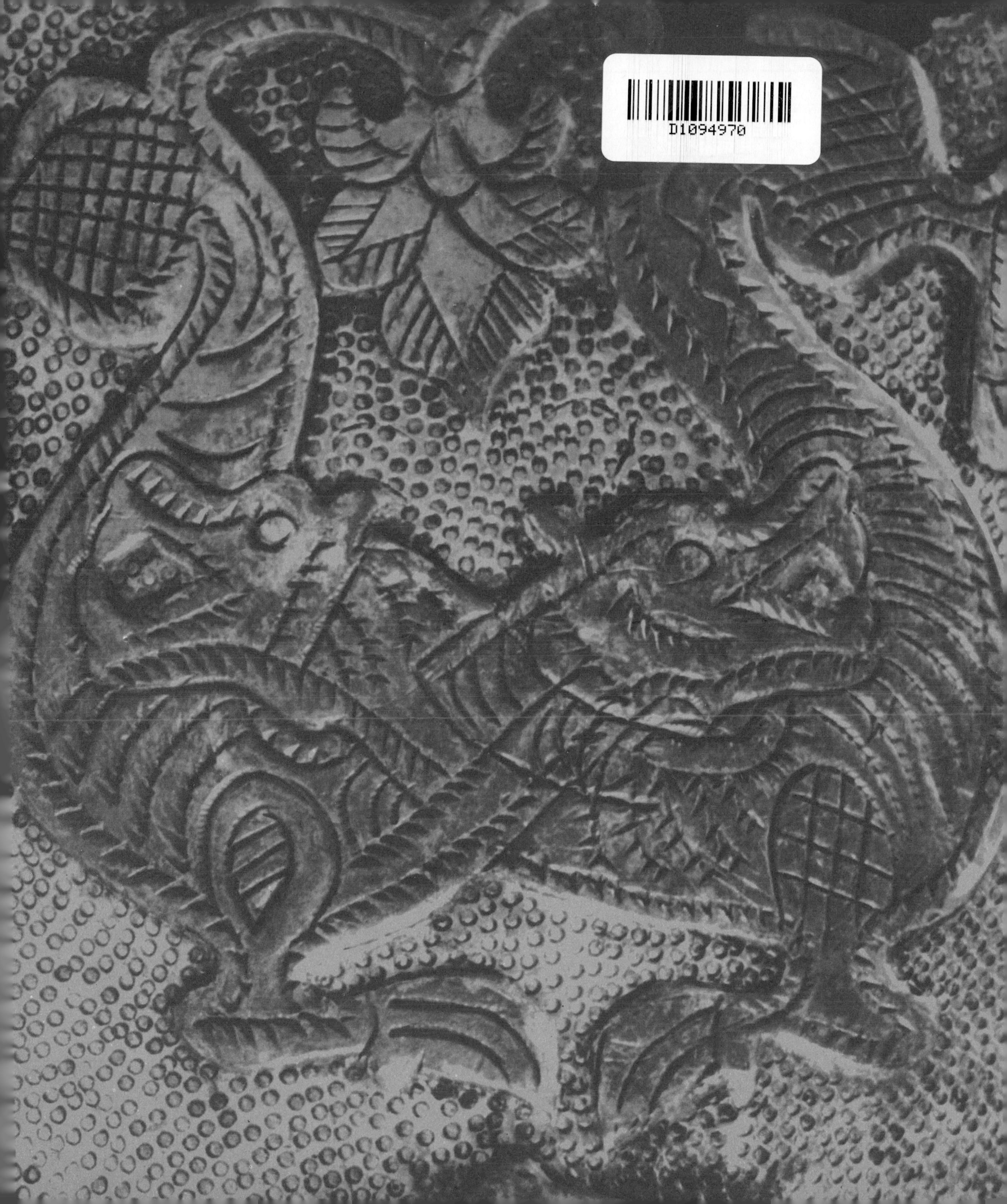

ИЗДАТЕЛЬСТВО «АВРОРА». ЛЕНИНГРАД AURORA ART PUBLISHERS. LENINGRAD

RUSSIAN APPLIED ART OF TENTH-THIRTEENTH CENTURIES

B.A. RYBAKOV

РУССКОЕ ПРИКЛАДНОЕ ИСКУССТВО X-XIII ВЕКОВ

Б.А. РЫБАКОВ

Автор выражает глубокую признательность Татьяне Васильевне Николаевой, взявшей на себя труд составления библиографии и подписей к рисункам.

The author wishes to express his deep gratitude to Tatyana Vasilyevna Nikolayeva, who was kind enough to compile the bibliography and provide the captions for the illustrations.

*И тако украсил добре, яко не могу сказати оного ухищрения по достоянию довольно, яко многим приходящим от Грек и иных земель глаголати: «Нигде же сицея красоты бысть!»**

(«Житие Бориса и Глеба»)

*He decorated it so wondrously that I am at a loss for words; he displayed such cunning artistry that many who came from among the Greeks and from other lands said, 'Nowhere else is such beauty to be found.'**

(The Lives of SS Boris and Gleb)

В ДРЕВНЕЙ РУСИ для обозначения разных видов прикладного искусства существовало чудесное слово узорочье. Сохранившиеся до наших дней образцы узорочья X—XIII веков являются неисчерпаемым источником наших представлений о быте древнерусских людей всех классов и категорий — от простого деревенского смерда до князя. Весь быт был пронизан любовью к красоте, стремлением украсить жизнь художественной выдумкой. Серость бревенчатых построек скрашивалась хитроумной резьбой, однообразие домотканого холста — яркой вышивкой. До нас дошло лишь незначительное количество произведений древнего искусства, сохранившихся к тому же фрагментарно. Представить себе все богатство художественных образов прошлого нам помогает обращение к этнографическому искусству русской деревни XIX века, сохранившему много традиций тысячелетней давности в тканых и вышитых узорах одежды и полотенец, в символике резных ковшей и прялок, в заклинательных новогодних песнях и в весенних хороводах. Только на таком широком фоне могут быть правильно восприняты фрагменты подлинного древнего узорочья.

Памятники прикладного искусства знакомят нас с различными видами ремесленной техники, существовавшими с древнейших времен. Деревенские мастера делали украшения из дешевых сплавов меди и серебра с помощью нехитрых технических приемов. Городские мастера золотых и серебряных дел знали множество сложных и тонких приемов, отделывали свое узорочье то скрученной

* Описание работы русского мастера начала XII века.

IN EARLY RUSSIA they used a wonderful word to describe various kinds of applied art. It was *uzorochye.* The word denoted anything richly patterned, such as gold and silver ware, jewellery, embroidery, textiles, and so on. Today, extant examples of tenth – thirteenth century *uzorochye* provide an invaluable source of information about the life of the Russian people of those days–from simple village peasants to princes. They show a love for beauty and a striving to break away from life's monotony into artistic flights of fancy. They relieved the greyness of their log houses by decorating them with intricate carving, and their drab homespun linen they brightened with coloured embroidery.

Unfortunately not much of this early art has come down to us and what there is of it is often just fragments. To picture

* Description of the work of the early 12th century Russian master craftsman.

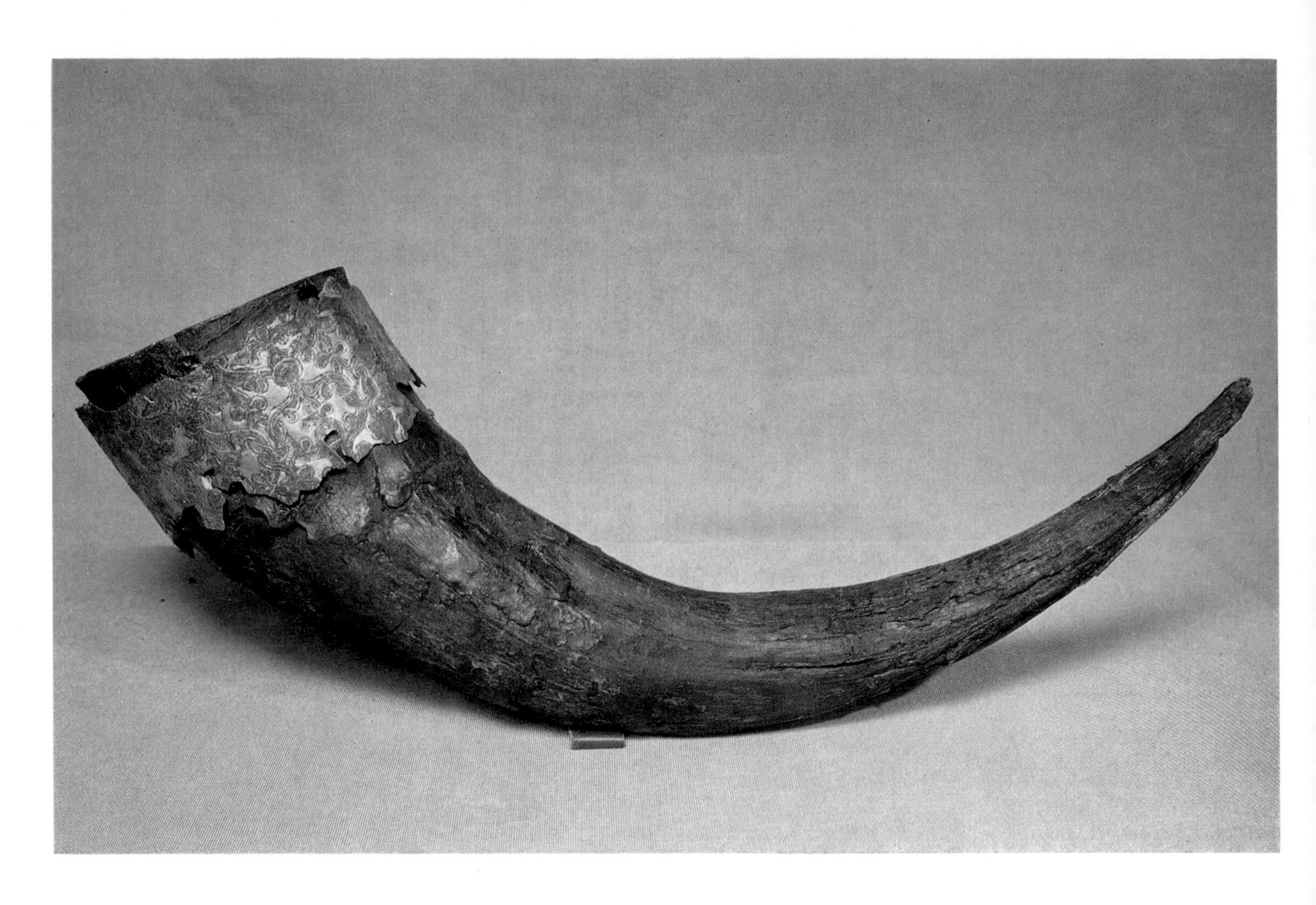

проволокой — сканью, то тысячами сверкающих крохотных капель металла — зернью, то нежной позолотой, то контрастной чернью, то многоцветной эмалью.

Памятники художественного ремесла отчетливо показывают нам различие феодальной и народной культуры. Правда, культура дворцов и соборов создавалась тоже руками мастеров из народа, но все же между двумя полюсами средневековой культуры было много серьезных отличий: народное искусство было более архаичным, традиционным; его корни уходили в далекие тысячелетия. Боярско-княжеское (а отчасти и городское) искусство тянуло нити своих связей вширь; на нем сказывалось соседство торговых площадей, на которых раскладывали свои товары купцы с берегов Хазарского моря, гости из Баг-

the full range of the artistic imagery of the past we must turn to the ethnographical art of the nineteenth-century Russian village. There, in the homes, many of the old traditions were preserved in the homespun cloth and embroidery on clothing and towels; in the symbolic patterns of carved wooden dippers and distaffs, and in the incantatory New Year songs and spring round dancing. Only against this background of folk art can the surviving fragments of genuine ancient *uzorochye* be correctly understood.

This applied art tells us of the various handicraft techniques which existed from earliest times. The village artisans produced jewellery made of cheap alloys of copper and silver by simple methods. The town gold and silversmitl.s knew a great many complex and intricate methods and were able to em-

1. *Турий рог из Черной Могилы в Чернигове*
Оковка серебряная. Позолота, чеканка, резьба, чернь. X в.
Государственный Исторический музей

1. *Aurochs horn from the Black Barrow in Chernigov*
Silver mounting. Gilding, chasing, carving, niello. 10th century
State History Museum

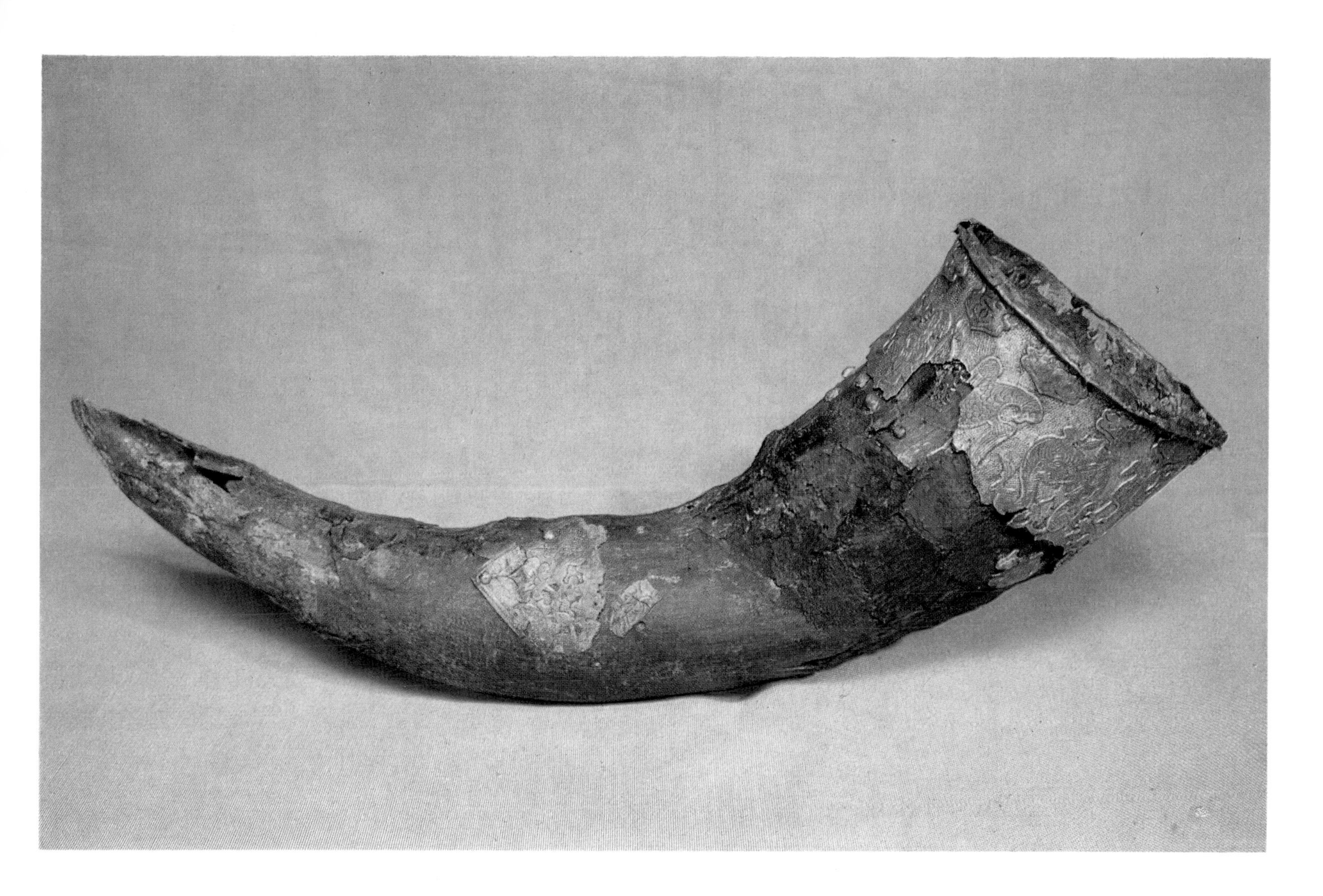

дада и Самарканда, из Царьграда и Венеции; в произведениях искусства, украшавших быт феодальных верхов, часто встречались те «международные» средневековые орнаментальные мотивы и сюжеты, которые характерны для шелковых тканей, аксамитных плащей и дорогой пиршественной посуды, расходившихся по всему Старому Свету.

Особый интерес представляют для нас многочисленные украшения княгинь и боярынь, зарытые в момент нашествия Батыя и так и оставшиеся в земле после гибели их владельцев во время жестокой расправы татар с населением русских городов. Богатая коллекция этих кладов из Киева, Чернигова, Владимира, Рязани и других городов раскрывает перед нами во всем блеске техническое совершенство и круг оригинальных худо-

bellish their wares with twisted wire–filigree, with numerous tiny drops of metal–granulation work, with fine gilding, or contrasting niello or polychromatic enamelling–the famous *finift* which was the height of medieval applied art.

Masterpieces of artistic craftwork show us how the culture of the feudal rulers and folk culture differed. It is true that the masterpieces which adorned the palaces and churches were also wrought by folk craftsmen but many substantial differences between these two poles of medieval culture are seen. Folk art was more archaic and traditional; it went far back into the millennia. On the other hand, the art connected with the boyars and princes (and to some extent city art) drew sustenance from far and wide: in the city market places where goods were sold from the shores of the Hazar

2. *Турий рог из Черной Могилы в Чернигове*
Оковка серебряная. Позолота, чеканка, резьба, чернь. X в.
Государственный Исторический музей

2. *Aurochs horn from the Black Barrow in Chernigov*
Silver mounting. Gilding, chasing, carving, niello. 10th century
State History Museum

жественных образов, созданных русскими мастерами золотых и серебряных дел в XII—XIII веках.

Специальный раздел составляет церковное искусство. Здесь традиции русского народного умельства переплетались с византийскими и романскими.

Истоки русского народного искусства уходят в глубину тысячелетий. Древние славяне на своем историческом пути соприкасались со скифами и сарматами, с предками литовцев, латышей, заходившими ранее далеко на юг, и с финно-угорскими племенами лесного северо-востока.

В процессе ассимиляции славяне восприняли многое из фольклора и изобразительного искусства славянизируемых соседей северо-запада и северо-востока. Но в этом кратком очерке нет возможности остановить-

Sea, from Baghdad and Samarkand, Constantinople and Venice; decorating the works of art which graced the life of the feudal noblemen were the 'international' medieval ornamental patterns and themes to be seen on silks, samites and tableware all over the Old World.

Of special interest are the numerous pieces of jewellery belonging to princesses and boyars' ladies, which were buried during the invasion of Khan Batu and remained in the ground when their owners perished in the cruel massacres of the populations of Russian cities by the Tartars. There is a rich collection of such treasures from Kiev, Chernigov, Vladimir, Ryazan and other cities. The range of most original artistic designs created by the Russian gold and silversmiths of the twelfth and thirteenth centuries reveals immense ability and technical skills.

3, 4. *Оковка турьего рога из Черной Могилы. Фрагменты (увеличены)*
Серебро. Позолота, чеканка, резьба, чернь. X в.
Государственный Исторический музей

3, 4. *Aurochs horn mounting from the Black Barrow. Details (enlarged)*
Silver. Gilding, chasing, carving, niello
10th century
State History Museum

ся на сложной предыстории русского средневекового искусства. Мы начнем рассмотрение его с тех произведений, которые могут быть своеобразным эпиграфом ко всему искусству древней Руси, — с турьих рогов из Черной Могилы.

В середине X века, примерно в эпоху князя Святослава, у стен Чернигова был насыпан огромный курган над останками двух князей, сожженными, по обычаю, на погребальном костре. Умерших проводили, выпив в их честь из священных сосудов — турьих рогов, окованных серебром. При раскопках рядом с рогами был найден ритуальный нож для заклания жертв (быть может, и пили не мед и не пиво, а кровь жертвенного животного?). Турьи рога — обязательный атрибут славянских языческих богов,

Church art constitutes a special department. Here the traditions of Russian folk crafts mingle with the Byzantine and Romanesque.

The origins of Russian folk art go back several millennia. The ancient Slavs came into contact with many peoples during their historical development: the Scythians and the Sarmatians; the forerunners of the Lithuanians and Letts who used to travel far down south; the Ugro-Finnish tribes of the north-east forest lands who had their own interesting culture. In the process of assimilation the Slavs absorbed much of the folklore and pictorial art of the Slavified neighbours to the north-west and north-east of their lands. This short essay however does not allow for a study of the very complex pre-history of Russian medieval art. We shall begin with works of art which can serve as

5. *Ромбовидные височные кольца новгородских словен*
Серебро. Гравировка. XII в.
Государственный Исторический музей

5. *Diamond-shaped temple rings of Novgorodian Slovenes*
Silver. Engraving. 12th century
State History Museum

позднсе — обязательная принадлежность свадебного обряда.
Широкие устья обоих рогов оправлены серсбром; острые концы, очевидно, имели особое оформление, которое не сохранилось (судя по другим образцам, оно могло быть сделано в виде птичьих голов). На тулове каждого рога находилась ромбическая серебряная бляха с растительным орнаментом. Оковка рога меньших размеров была покрыта вычеканенными растительными гирляндами в восточном духе.

Особого внимания заслуживает большой рог, серебряная оковка которого обрамлена растительным узором, наведенным чернью. Основной фон прочеканен и позолочен. На этом золотом поле рельефно выделяются причудливо изогнутые и переплетен-

a kind of epigraph to a discourse on early Russian art, the aurochs horns from Chornaya Mogila (Black Barrow).

In the middle of the tenth century, about the time of the reign of Prince Svyatoslav, an enormous hill was made beside the walls of the city of Chernigov over the remains of two princes who had been burnt on a funeral pyre according to custom. The funeral ceremony was as usual accompanied by a round of drinks from silver decorated aurochs horns considered to be sacred vessels.
The excavations revealed, besides the silver mounted horns, a ritual knife used in the sacrifice (perhaps it was the blood of the sacrificial animal that was drunk from the horns rather than mead or beer). Aurochs horns were required appurtenances of the Slav pagan gods,

6. *«Шумящая привеска». Финское украшение из кургана в Суздальском уезде, Владимирской губернии*
Медь. Литье. XI—XII вв.
Государственный Исторический музей

6. *'Jingling pendants'. Finnish ornaments from a barrow in Suzdal District, Vladimir Province*
Brass. Casting. 11th–12th centuries
State History Museum

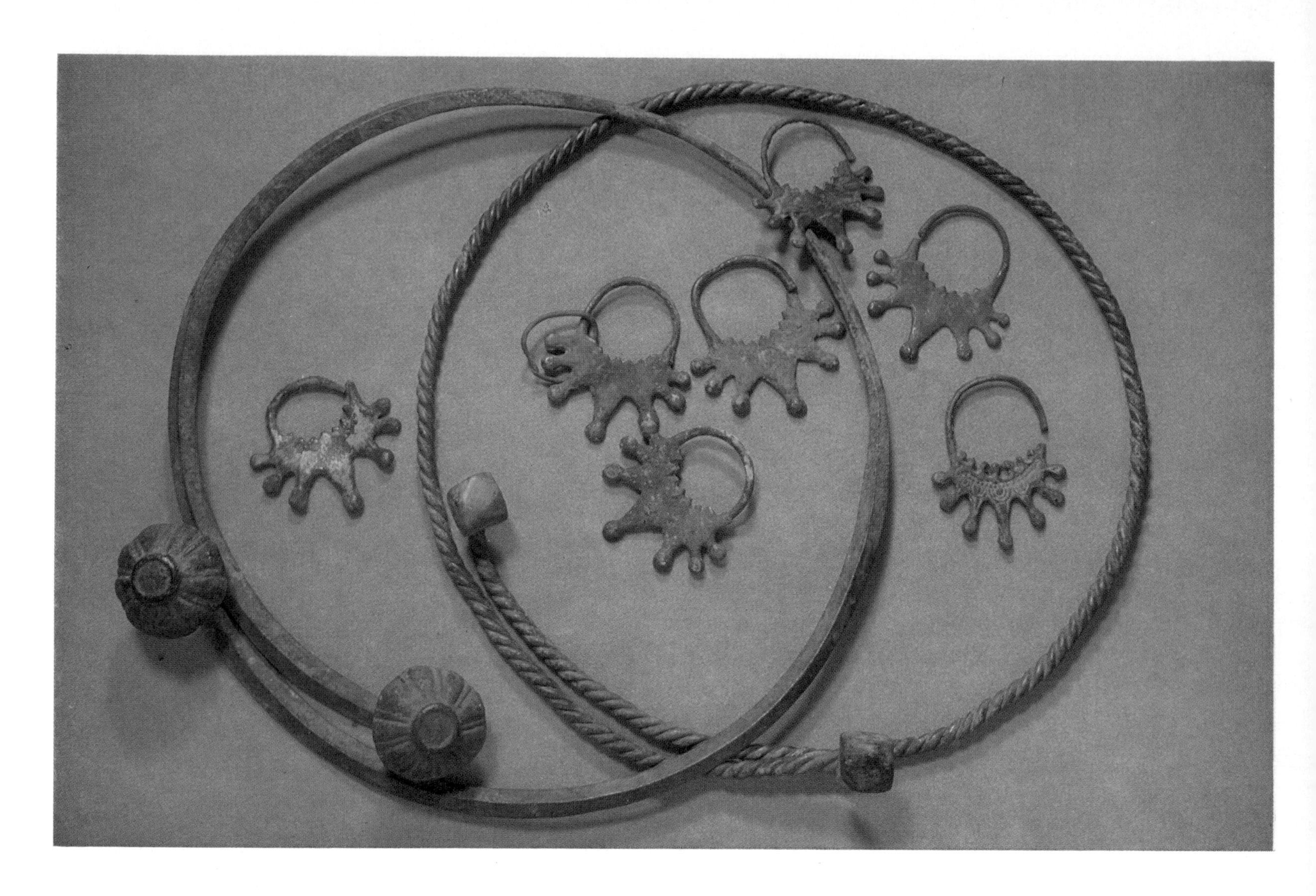

ные между собою светлые фигуры птиц, зверей и фантастических животных. Некоторые из них кусают друг друга, иные стоят отдельно; на тыльной стороне оправы — два чудища, хвосты которых срослись в одну пальметку, разделяющую оправу на две части. На лицевой стороне посреди всех чудищ и зверей художник изобразил сцену, которой, судя по всему, он придавал важное значение. На первый взгляд содержание сцены очень простое: двое охотников стреляют в птицу; но когда мы начинаем вглядываться внимательнее, то видим ряд загадочных деталей. В руке одной из фигур (мужчина в рубахе или кольчуге с непокрытой головой) лук, но стрелы уже нет, она только что спущена с тетивы. Вторая фигура — женская, и, судя по длинным косам, это девушка. В руках у нее тоже лук

and later they were required accessories of the wedding ceremony.

The wide ends of both horns are set in silver; the tips apparently also had some decoration (judging by similar objects, it would be in the form of birds' heads) which has been lost. The body of both horns bears a diamond-shaped silver plaque with floral design. The silver mounting of the smaller horn has an overall chased design in the form of floral garlands in oriental style.

Of the two, especially interesting is the bigger horn, the silver mounting of which is bordered with a floral pattern embellished with niello. The background bears a chased gilt design. Against the gold ground are easily discernible the lighter representations of birds, animals and fabulous creatures fancifully intertwined about one

7. Гривны и семилучевые височные кольца радимичей
Медь. Литье. XI—XII вв.
Государственный Исторический музей

7. Grivnas (torques) and seven-pointed temple rings of the Radimichi
Brass. Casting. 11th–12th centuries
State History Museum

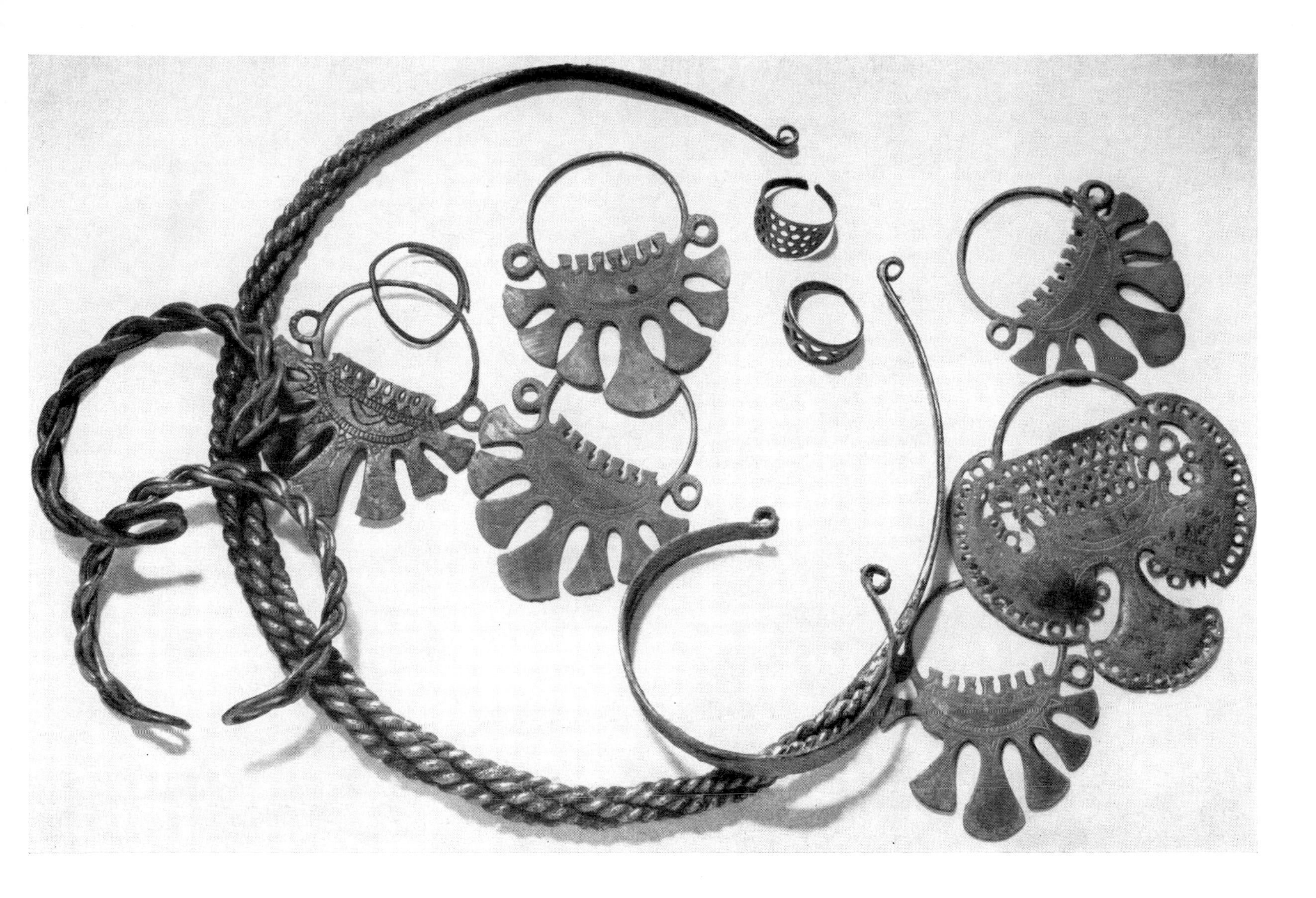

и опустевший колчан. Самое интересное заключается в том, что стрелы летят не в птицу. Одна стрела поломана и находится позади мужчины, вторая летит вверх, а третья — прямо в голову мужчине. Все это похоже на сказку. Загадочный сюжет разъясняется одной черниговской же былиной об Иване Годиновиче, известной по записи, сделанной еще в XVII веке. В былине повествуется о молодом дружиннике, увезшем из Чернигова невесту Марью. По дороге на них напал царь Кащей, за которого Марья уже была просватана. Иван победил было Кащея, но тот склонил Марью на свою сторону и связал Ивана. В это время прилетела вещая птица и напророчила гибель Кащею. Дальнейшие события и изображены на турьем роге: Кащей велит Марье принести лук и стрелы и пытается

another. Some of them are shown biting each other, others are placed separately. The reverse side of the mounting shows two fabulous creatures, details of which form a single palmetto which divides the mounting into two parts. The obverse reveals a curious scene set amongst animals and quaint creatures, which was apparently of great importance to the artist. At first glance the scene appears to be a simple one. Two hunters are shooting at a bird. But on a closer inspection several puzzling details are revealed. One of the figures, that of a man, possibly in chainmail, with a bare head, holds a bow, having apparently just shot an arrow. The second figure is a female, a young girl, judging by the long plaits. She, too, holds a bow and has an empty quiver. What is interesting, however, is that though both figures face the great bird and shoot at

8. *Гривна, браслеты, перстни и височные кольца вятичей*
Серебро. Литье, гравировка. XII—XIII вв.
Государственный Исторический музей

8. *Grivna (torque), bracelets, rings and temple rings of the Vyatichi*
Silver. Casting, engraving. 12th–13th centuries
State History Museum

убить вещую птицу, но заговоренные стрелы летят обратно, и одна из них убивает Кащея. Вероятно, эта древняя былина отражала какое-то важное событие из жизни Чернигова, если ее главный момент — смерть страшного Кащея Бессмертного от вмешательства птицы (изображение птицы вошло в герб города Чернигова) — оказался вычеканенным на священном сосуде князя-жреца эпохи Святослава.

Значение этого турьего рога очень важно; его художественные качества доказывают, что ко времени принятия христианства русское искусство находилось на достаточно высокой ступени развития. Тератологический стиль, развившийся на Руси в X веке, с одной стороны, органически вырастает из звериных композиций VI—VII веков, а с другой — является

it, the arrows do not hit their mark. One lies broken behind the man. The second one flies upwards and the third flies straight at the head of the man. This is evidently an illustration to some fairy tale. The mysterious theme can be explained by a Chernigov *bylina* epic about a certain Ivan Godinovich which was recorded as early as the seventeenth century. The *bylina* tells about a young *druzhina* member who stole a certain maiden, Maria, and carried her away from Chernigov. They were both overtaken by King Kashchei the Deathless to whom Maria was betrothed. Ivan overcame Kashchei but Kashchei succeeded in winning Maria's sympathy and in his turn overpowered Ivan. It is at this moment that a prophetic bird flies to the scene and foretells the end of Kashchei. The subsequent events are illustrated on the aurochs horn: Kash-

9, 10. *Височные кольца вятичей из Белевского клада Тульской губернии Серебро. Литье, гравировка. XIII в. Государственный Исторический музей*

9, 10. *Temple rings of the Vyatichi from the Belev treasure in Tula Province Silver. Casting, engraving. 13th century State History Museum*

11. *Бусы из курганов Суздальского уезда, Владимирской губернии*
Стекло, камень. X—XII вв.
Государственный Исторический музей

11. *Beads from barrows in Suzdal District, Vladimir Province*
Glass and stone. 10th–12th centuries
State History Museum

родоначальником стиля прикладного искусства XI—XII веков.

Из всего многоцветного богатства древнего деревенского прикладного искусства (вышитые ткани, резное дерево, расшитая кожа и т. п.) время сохранило до нас только металлические дополнения к женским костюмам: бляшки от кокошников, височные кольца («усерязи»), наборы монист («гривной утвари») из бус и металлических подвесок, своеобразные амулеты-обереги, браслеты и перстни. Эти вещи археологи находят в курганах во всех концах славянского мира. Сделаны были эти украшения (за исключением бус) самими крестьянами, местными деревенскими ремесленниками, обслуживавшими несколько поселков.
В каждой славянской земле сущест-

chei asks Maria to bring him the bow and arrows and attempts to kill the oracle bird. But the charmed arrows fly off it and one of them kills Kashchei. Evidently this ancient *bylina* reflected some important event in the life of Chernigov because its main action–the death of the terrible Kashchei brought about by the intervention of the bird (there is a representation of a bird on the coat-of-arms of the city of Chernigov)–was used to decorate the sacred vessel, which was the property of some prince-priest during the reign of Svyatoslav.
This aurochs horn is very important and its artistic qualities prove that Russian art, by the time Christianity was introduced, was at a high stage of development. The teratological style that spread through Russia in the tenth century was, on the one hand, an or-

вовали свои этнографические отличия в стиле и рисунке женских украшений, по которым археологи довольно точно определяют границы земель радимичей, вятичей, кривичей или северян.
Нехитрыми способами сельские мастера делали из дешевых сплавов красивые, изящные вещи, создававшие весьма своеобразный рисунок всего женского наряда. По всей вероятности, в курганах хоронили женщин в их свадебном наряде (этнография знает много подобных примеров). В материалах раскопок русских сельских кладбищ X—XIII веков почти нет предметов, связанных с христианством. Деревня была еще языческой. Единственная уступка церкви состояла в том, что прекратилось сожжение мертвых и их стали предавать земле. Женские украшения того вре-

ganic development of the animal style compositions of the sixth and seventh centuries and, on the other, the origin of the eleventh and twelfth century style of applied art.

Of all the magnificent riches of the ancient applied art of the village (embroidered textiles, carved wood, soft embroidered leather and so on) time has preserved for us only metal adornments to women's costumes: various plaques and beads for the *kokoshnik* headdress, pendant rings and medallions worn at the temples (*useryazi*), *monisto* necklaces (*grivna* ware) of beads and metal pendants, characteristic amulets, bracelets and rings. Similar objects are found by archaeologists in barrows all over the Slavonic world. Except for the beads, they were the work of village artisans who made

12, 13. *Литейные формы для серебряных колтов*
Шифер. XII в.
Киевский государственный исторический музей

14. *Браслет из клада, найденного в 1903 году в Киеве на территории Михайловского монастыря*
Серебро. Гравировка, чернь. XII в.
Государственный Исторический музей

12, 13. *Moulds for silver kolt pendants*
Sericite. 12th century
Kiev State History Museum

14. *Bracelet from treasure found in the grounds of the Mikhailovsky Monastery in Kiev in 1903*
Silver. Engraving, niello. 12th century
State History Museum

мени заполнены языческой символикой, иногда неясной для нас, иногда же поддающейся расшифровке.

В составе ожерелий часто встречаются лунницы, связанные с культом луны. Если руководствоваться мифологией, то их следует считать принадлежностью девичьего убора, так как Селена — богиня Луны — была покровительницей девушек. Много также подвесок, как бы изображающих солнце с лучами. Иногда у солнца 12 лучей, что, быть может, связано с солнечным годом в 12 месяцев. В некоторых местах (земля радимичей) распространены подвески с изображением головы быка.

На вятических височных кольцах мы встречаем тонкий кружевной узор и интересную композицию из двух коней и сильно стилизованной фигуры — композицию, напоминающую

jewellery for all the surrounding villages.

In every part of the Slav lands there were distinct ethnographic variations in style and design of women's jewellery, which has enabled archaeologists to define the borders of the lands occupied by the Radimichi, Vyatichi, Krivichi and Severyane with accuracy.

Village craftsmen using simple methods and cheap alloys produced beautiful, elegant objects which gave a certain style to the women's costumes. Most probably women were buried in the barrows in their full wedding finery—ethnographers know many similar examples. Presumably this explains the richness of the sets of jewellery and amulets found in the barrows.

Excavations of tenth–thirteenth century Russian village cemeteries rarely reveal objects connected with Christianity. The

15. *Браслет из клада, найденного в 1896 году во Владимире у древнего вала на территории Печернего города близ Владимирской часовни*
Серебро. Гравировка, чернь. XIII в.
Государственный Исторический музей

15. *Bracelet from treasure found in Vladimir, at ancient earthworks on the site of the town of Pecherny, near Vladimir Chapel, in 1896*
Silver. Engraving, niello. 13th century
State History Museum

многочисленные вышивки на полотенцах.

На браслетах-обручах чаще всего изображались символы воды: плетенка, волнистый узор, змеиные головы; встречается струйчатое переплетение проволок. Объяснение этому мы найдем при рассмотрении городских вещей, в которых яснее выражена магическая сущность этого сюжета: браслеты были связаны с ритуальными плясками в честь русалок — добрых божеств плодоносной воды.

Совершенно особый интерес представляют амулеты, входившие в состав женских (свадебных?) украшений. Они раскрывают перед нами мир языческих образов, связанных с заклинательной магией.

Среди амулетов встречаются миниатюрные бронзовые топорики, покрытые кружковым орнаментом, симво-

village was still pagan. (The only concession made to the Church was that bodies were now buried in the ground rather than burnt.) Women's jewellery of that period shows truly pagan symbolism, sometimes impossible to understand and sometimes quite decipherable. Necklaces often included *lunnitsas* closely related to the cult of the moon. A study of ancient mythology suggests that these pendants were connected with Selena, the Goddess of the Moon and patroness of girls. Many similar pendants have been found depicting the sun with rays. Sometimes the sun has twelve rays which probably has a connection with the solar year of twelve months. In some localities (the land of the Radimichi) round pendants depicting the head of a bull were very popular.

Rings from the Vyatichi land, worn at

16. *Подпись мастера Флора-Братилы на дне новгородского серебряного кратира: «Господи помози рабу своему Флорови. Братило делал»*
Первая четверть XII в.
Новгородский историко-архитектурный музей-заповедник

16. *Signature of the craftsman Flor Bratilo in the bottom of a silver Novgorodian krater: 'O Lord help Flor Thy servant. Bratilo made this'*
First quarter 12th century
Novgorod Museum of Architecture and Ancient Monument

лизирующим солнце. Топор часто являлся атрибутом бога Неба.

С культом воды связаны маленькие чашечки, не имеющие дна; этнографы знают об употреблении таких «сосудов» при заговорах: чашечку ставили на землю и, наливая в нее воду, поили «мать сыру землю».

Для отпугивания зла в наборы оберегов включались зубы и когти хищников или стилизованные изображения зубов и когтей, сделанные из бронзы и серебра; иногда из металла отливали целые челюсти хищников.

Такую же роль оберега играли миниатюрные модели гребней, украшенные двумя звериными головами. Древние люди давно подметили, что болезни часто связаны с паразитами, поэтому гребням, уничтожавшим распространителей заразы, придавалось значение оберега. В русских

the temples, have a fine lacelike design and an interesting composition of two horses with highly stylized outlines, reminiscent of the embroidery used on towels.

The *obruchye* bracelets were more often decorated with various symbols of water: interwoven lines or waves, snakeheads and intertwined metal wire imitating waves. A closer examination of similar objects from various cities reveals the explanation–these bracelets were used as magic charms; they are connected with ritual dances in honour of water sprites, those kindly goddesses of fecund water.

The amulets which were worn by women as part of whole sets of adornments (perhaps for weddings?) are of special interest. They reveal a whole world of pagan images connected with magic incantations.

17. *Бусы из клада, найденного в 1900 году у села Сахновка, Каневского уезда, Киевской губернии*
Золото, гранат, янтарь, оникс. Скань, зернь. XII в.
Киевский государственный исторический музей

17. *Beads from treasure found in the village of Sakhnovka, Kanev District, Kiev Province, in 1900*
Gold, garnet, amber, onyx. Filigree, granulation. 12th century
Kiev State History Museum

сказках волшебный гребень спасает героя и его невесту от бабы-яги — богини Смерти. Гребни украшались звериными головами, как бы кусающими врагов человека.

Большое количество архаизмов в прикладном искусстве сохранилось в глухой лесной земле радимичей, где почти не было городов. Здесь в курганах находят своеобразные костяные подвески в виде уточек с конской головой и гривой. Такое противоестественное слияние форм водоплавающей птицы и коня может показаться странным, но исследователями давно уже выяснено, что это устойчивое сочетание — оно сохраняется до XIX века — объясняется древним культом солнца: днем по небу светило везут кони (колесница Феба), а ночью, по подземному океану, его влекут плавающие по воде птицы.

Among the amulets miniature axes of bronze are very frequent; they have an overall circular ornamentation symbolizing the sun. With many peoples the axe was an attribute of the God of Heaven.

Tiny cups without bottoms are connected with the cult of water; ethnographers say that these vessels were used by soothsayers. The cup was placed on the ground and water poured into it 'for Mother Earth to drink'.

The teeth and claws of carnivorous animals or their stylized representations made of bronze and silver were included in full sets of *obereg* amulets to keep away evil spirits; at times whole sets of teeth of carnivorous animals were made of metal.

A similar role was played by miniature combs decorated with two animal heads. Our forefathers noted that diseases

18. *Оправа для креста или мощевика из клада, найденного в 1822 году в Старой Рязани (увеличена)*
Золото, самоцветы. Ажурная скань, зернь. XII в.
Государственная Оружейная палата

18. *Mounting for a cross or reliquary, found in Staraya Ryazan in 1822 (enlarged)*
Gold, precious stones. Lace filigree, granulation
12th century
State Armoury

Поэтому на резных ковшах очень часто изображается солнце и рядом с ним конь или уточка.

В украшениях кривичей и их соседей очень много стилизованных звериных фигурск с такими же солнечными знаками, как и на топориках небесного бога-громовика. Их называют то коньками, то собачками, поскольку характер изображений хотя и устойчив, но недостаточно ясен. У этих животных никогда не изображается грива, уши резко отличны от лошадиных и иногда снабжены двумя острыми хвостиками, как у рыси. Передние лапы согнуты так, как может их согнуть только хищник. Учитывая наличие челюстей хищников в составе оберегов, можно допустить, что такое же апотропеическое, охраняющее значение имели и фигурки, изображавшие самого сви-

were often carried by lice and other parasites and that is why the combs, which prevented the spread of disease, were looked upon as amulets too. A Russian fairy tale tells of a miraculous comb which saves the hero and his bride-to-be from Baba-Yaga, the Goddess of Death. The animal heads on combs were supposed to be biting man's enemies.

The distant woodland of the Radimichi which had few cities have preserved a great many archaic features in applied art Excavations here have revealed interesting and characteristic bone pendants in the form of a little duck with a horse's head and mane. This strange combination of forms—a water fowl and a land animal—was found by art historians to be a stable combination indeed and one which existed until the nineteenth century. It can be explained by

19. *Колт из клада, найденного в 1822 году в Старой Рязани (деталь сильно увеличена)*
Золото, самоцветы, жемчуг. Ажурная скань. XII в.
Государственная Оружейная палата

19. *Kolt pendant found in Staraya Ryazan in 1822 (detail, greatly enlarged)*
Gold, precious stones, pearls. Lace filigree
12th century
State Armoury

репого хищника наших лесов — рысь, или, как ее звали в древней Руси иносказательно, «лютого зверя». Круглые пятна на фигурках, может быть, изображают те «пестротины» на шкуре рыси, о которых упоминается в письменных памятниках XI века.

В некоторых курганах встречаются целые наборы амулетов, соединенных общей основой для прикрепления. Такие наборы представляют собой как бы целые заклинательные фразы (очевидно, из свадебного обряда), овеществленные в бронзе. Так, например, в одном таком наборе встречены ложки, ключ, челюсть хищника и голубь. Расшифровать этот подбор символов можно примерно так: «Девушка, подобная птице (птица — символ семейственности, жизни), пусть всегда ты будешь сыта (ложки), пусть никто не расхитит твое хозяйство

the ancient cult of the sun: during the day the sun is carried by horses (the chariot of Phoebus), and at night, by water fowl along the underground ocean. That is why the nineteenth and twentieth century carved dippers are often embellished with the sun and beside it a horse or small duck, in every possible combination.

Jewellery from the land of the Krivichi and their neighbours shows many stylized figures of animals accompanied by similar sun symbols like those on the axe of the God of Thunder. These are sometimes called horses and sometimes dogs because, though the character of the decoration is stable, its meaning is not clear. These animals are never shown with the mane, their ears are very unlike those of a horse and at times end in two sharp tufts like the ears of a lynx. They fold their front

20, 21. *Паникадило (хорос)*
Медь. Литье. XII в.
Киевский государственный исторический музей

20, 21. *Choros polycandelon*
Brass. Casting. 12th century
Kiev State History Museum

(ключ), пусть зло минует тебя!»
В курганах изредка встречаются остатки тканей. Узор на них, как и следовало ожидать, содержит очень архаичную символику, уходящую корнями в искусство первых земледельцев Европы IV—III тысячелетий до н.э. Это символы засеянного поля, изображавшегося в виде квадрата или ромба, разделенного на четыре части с обязательной точкой (семенем) в центре каждой ячейки.
Как видим, сельское узорочье времен Киевской Руси было многообразным по форме и очень интересным по своему содержанию. Магическое заклинательное начало было еще очень сильно в его символике, и оно медленно уступало началу эстетическому, которое опиралось на старые формы, постепенно освобождая их от обязательной заклина-

paws in the way that carnivorous animals do but that a horse cannot.
Considering the whole sets of teeth of carnivorous animals as part of *obereg* amulets, we can presume that the figures representing the most ferocious animal of the Russian forest–the lynx, or as it was allegorically referred to in ancient Russia–'the most terrible animal', was also of apotropaic importance. The round spots on these figures evidently represent the spots on lynx fur to which there are references in a number of surviving eleventh-century records.
Whole sets of amulets arranged on a single base have been found in numbers of barrows. They represent entire sentences of an incantation (apparently part of the wedding ceremony) in bronze. For example, one such set included spoons, a key, a set of teeth

22. *Личина на браслете (деталь сильно увеличена)*
Серебро. Литье, гравировка, чернь. XII в.
Государственный Русский музей

23. *Иконка с изображением Христа (увеличена)*
Золото, жемчуг. Перегородчатая эмаль, скань. Первая треть XIII в.
Государственная Оружейная палата

22. *Bracelet clasp (detail, greatly enlarged)*
Silver. Casting, engraving, niello. 12th century
State Russian Museum

23. *Small icon with representation of Chirst (enlarged)*
Gold, pearls. Cloisonné enamel, filigree
Early 13th century
State Armoury

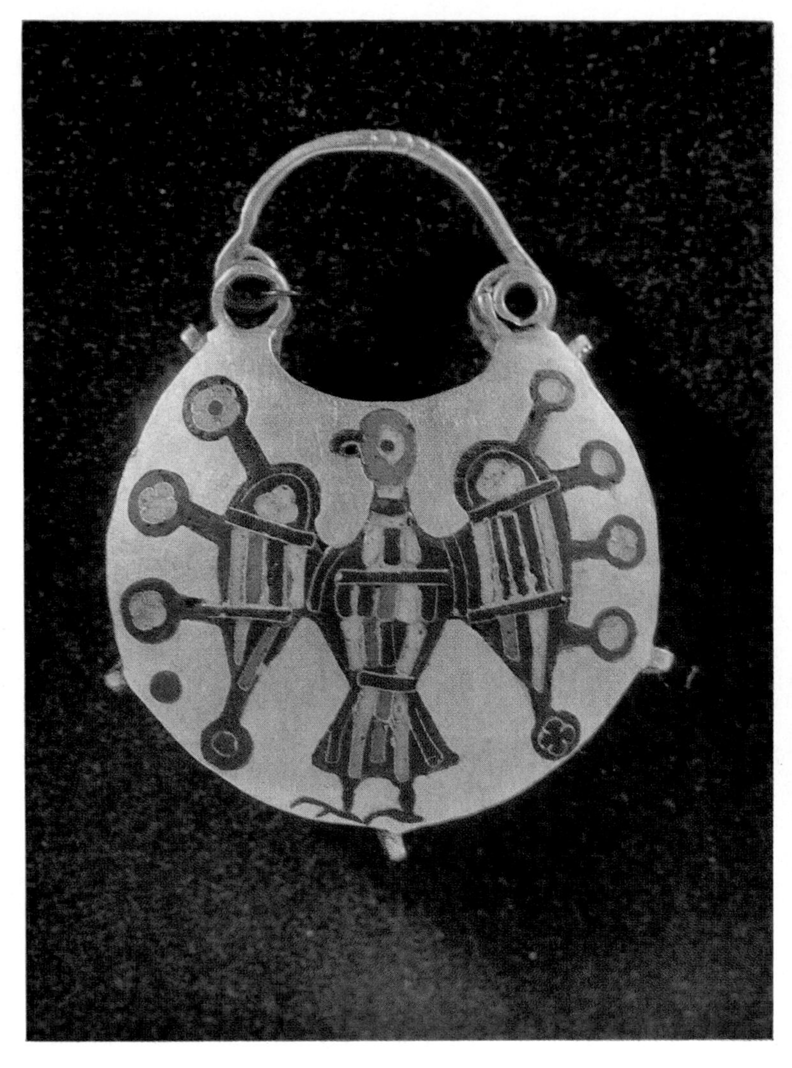

тельности. Когда в ожерелье невесты появлялось несколько солнц или несколько лун, то это означало, что старый символ употреблялся уже наполовину механически.

В традиционном крестьянском искусстве многие архаичные символы удержались почти до наших дней, но их смысл уже утрачен самими создателями. Декоративность победила древнюю заклинательную символику.

Узорочье русских городов существенно отличается от деревенского. Оно выступает перед нами в двух разных категориях: во-первых, как искусство самих посадских горожан, творцов феодальной культуры, и, во-вторых, как созданное их руками искусство боярско-княжеских кругов. Между изделиями существуют раз-

from a carnivorous animal and a representation of a dove. It can be deciphered roughly in this way: 'O maiden, so like a bird (the bird was the symbol of the family and life), may thou never lack food (the spoons), may none ever break into thine house (the key) and may all evil pass thee by'.

Pieces of fabric are sometimes found in the barrows. The design, as was to be expected, employs archaic symbolism, going back to the art of the agricultural tribes of Europe of the fourth to third millenium B.C. The symbols represent a sown field depicted in the form of a square or a diamond divided into four parts with a dot (the seed) in the centre of each small sector.

As can be seen the village *uzorochye* of Kievan Rus was varied in form and extremely interesting in content. Its symbolism was still strongly influenced by

24, 25. *Колт (лицевая и оборотная стороны), найденный на Княжей Горе, Черкасского уезда, Киевской губернии Золото. Перегородчатая эмаль. XII — первая треть XIII в. Киевский государственный исторический музей*

24, 25. *Kolt pendant (obverse and reverse), found on Knyazhya Hill, Cherkassy District, Kiev Province Gold. Cloisonné enamel. 12th–early 13th century Kiev State History Museum*

личия в ценности материала, в тонкости отделки, в некоторых технических приемах, но стилистически и сюжетно обе категории городского прикладного искусства очень близки, что вполне естественно при единстве творческой среды.

Единство стиля мы наблюдаем и в другом отношении: все виды городского прикладного искусства — украшения и утварь, книжная орнаментика, архитектурная декорация — стилистически, а порою и сюжетно очень близки друг к другу. Так, когда мы рассматриваем инициалы Юрьевского евангелия 1120-х годов, нам кажется, что перед нами эскизы будущих рельефов — белокаменной резьбы Владимиро-Суздальской земли. Любуясь серебряными браслетами XII века с изображениями птиц, львов и грифонов, размещенных

the magic incantation, and it was slow to give way to new aesthetic forms which, though based on the old ones, gradually became dissociated from the obligatory incantation. When a bridal necklace included more than one sun or moon this meant that the old symbol was being used almost mechanically.

Traditional peasant art has preserved certain archaic symbols almost to our day, though their meaning is no longer known even to the craftsmen who use them. The decorative forms have won over the ancient system of incantatory symbols.

The *uzorochye* of Russian cities was very different from that of the village. In the cities there were two types: first, the work of the suburban artisans who in fact created the feudal material culture, and, second, the works of art, also

26. *Ожерелье с четырехконечным крестом, бусами и крестовидными подвесками, найденное в 1903 году в Киеве, в ограде Михайловского монастыря*
Серебро. Чеканка, зернь. XII в.
Государственный Исторический музей

26. *Necklace with four-pointed cross, beads and cruciform pendants found in the grounds of the Mikhailovsky Monastery in Kiev in 1903*
Silver. Chasing, granulation. 12th century
State History Museum

в награвированных аркадах, мы невольно воспринимаем их как двойников современных им грифонов и львов в белокаменных арках владимирских соборов. Миниатюры Остромирова евангелия 1056 года, исполненные в особой манере (художник четким золотым контуром обводил границы каждого цветового пространства), напоминают великолепные изделия с перегородчатой эмалью, где мастера тонкими золотыми полосками отделяли один цвет от другого.

По технике исполнения изделия городских мастеров, особенно тех, которые обслуживали самых знатных заказчиков в княжеских дворцах, не уступали образцам самого передового мирового искусства того времени — искусства Византии и Ближнего Востока. Чеканщики могли из-

produced by the artisans, for the boyars and princes. These vary in the material used, and degree and finesse of finish and in certain technical methods; but in style and subject matter there is great similarity, which is natural because both kinds were produced by the craftsmen living in and around the cities.

Unity of style is also observed in a different sphere. All kinds of urban applied art—jewellery, various utensils and ornaments, book illustrations and decorations and architectural embellishments are very close to one another in style and even in subject matter. For example, the illuminated initials in the 1120s Yuriev Book of the Gospels are like sketches for the future white stone carving which became so popular in the Vladimir-Suzdalian principality. As one admires the twelfth-century silver bracelets decorated with engraved re-

27. *Бусы из клада, найденного в 1900 году у села Сахновка, Каневского уезда, Киевской губернии*
Золото, камень, жемчуг. Скань. XII в.
Киевский государственный исторический музей

27. *Beads from treasure found in the village of Sakhnovka, Kanev District, Kiev Province, in 1900*
Gold, stone, pearls. Filigree. 12th century
Kiev State History Museum

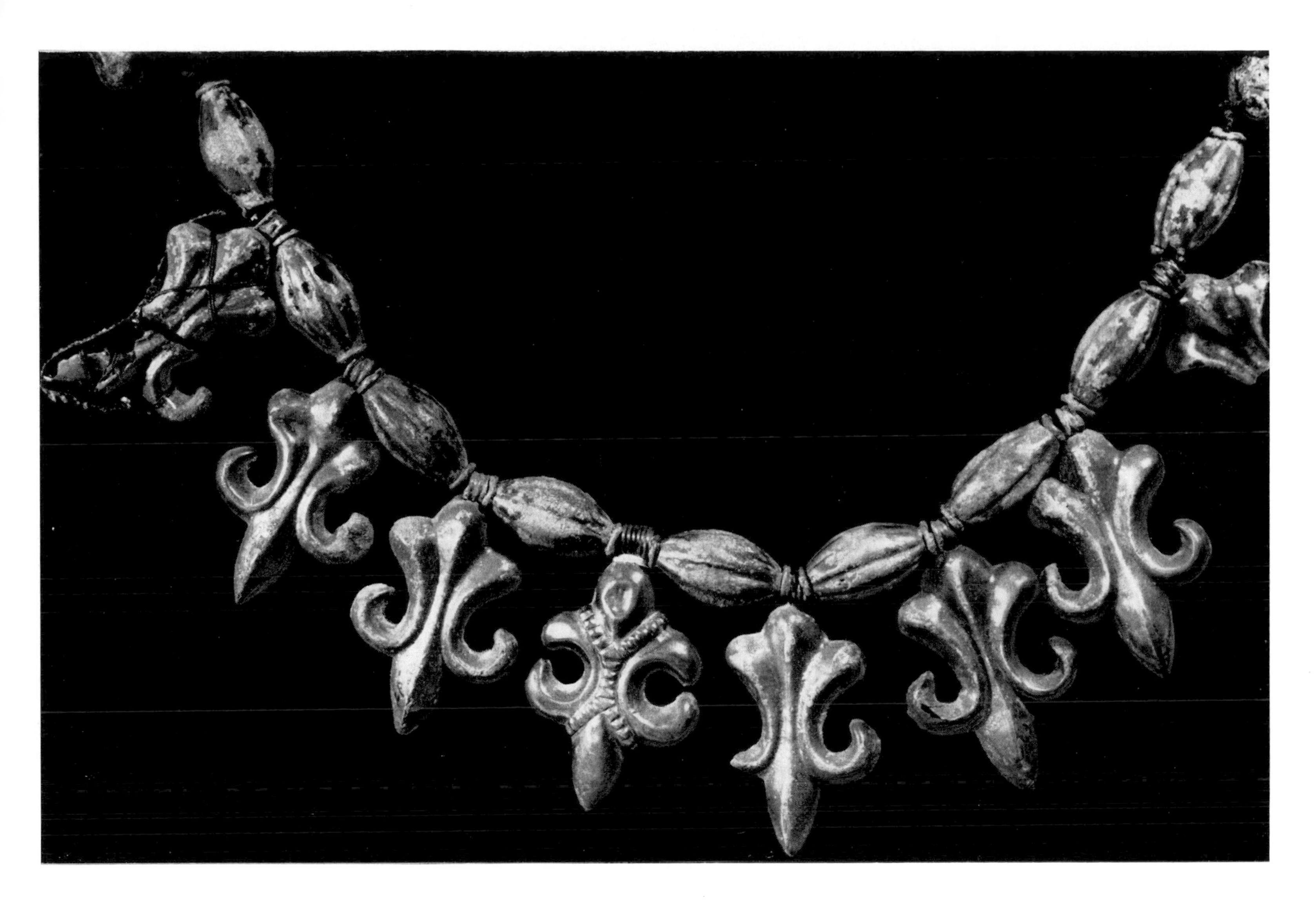

готовить превосходные рельефы на серебре, литейщики отливали сложные хитроумные изделия. Мастера золотых и серебряных дел в поисках наилучшей игры света оттеняли серебро чернью и позолотой, а иногда покрывали гладкую серебряную поверхность колта тысячами (!) микроскопических колечек и на каждое (!) колечко напаивали крошечное зернышко серебра. Особенной тонкости мастерства требовало эмальерное дело, где рисунок на золоте создавался напаиванием на ребро тонких золотых перегородок, между которыми плавилась многоцветная эмаль (финифть). Недаром немецкий ученый-технолог XI века Теофил из Падерборна, перечисляя страны, прославившиеся тем или иным мастерством, на одном из первых мест назвал Россию, известную в Европе

presentations of birds, lions and griffons, each set within an arch, one seems to be seeing the doubles of the contemporary griffons and lions in the white stone arcades of the churches in Vladimir. The miniatures of the Ostromir Book of the Gospels of 1056, executed in a special manner (the painter distinctly outlined every colour he used in gold) are reminiscent of the splendid *cloisonné* enamel ware in which the craftsmen separated each colour with thin strips of gold.

From the point of view of technique, the wares made by the city artisans, especially those for the highest nobility, were not inferior to the best contemporary world masterpieces, especially of Byzantine and Middle Eastern art. The Russian metal chasers produced superbly worked silver and the casters knew the most advanced methods of their

28. *Ожерелье с дутыми бусинами и подвесками в виде кринов из клада, найденного в 1901 году в Киеве около Трехсвятительской церкви*
Серебро. Чеканка. XII в.
Киевский государственный исторический музей

28. *Necklace of hollow beads and lily-shaped pendants from treasure found near the Church of the Three Church Fathers in Kiev in 1901*
Silver. Chasing. 12th century
Kiev State History Museum

своими эмалями и изделиями из серебра с чернью.

Художественное творчество городских мастеров не было безымянным. Нам известны имена нескольких ювелиров: Флор-Братила из Новгорода (начало XII века), Константин из Новгорода (середина XII века), Константин из Вщижа, Лазарь Богша из Полоцка (1160-е годы), Максим из Киева.

Посадские мастера, удовлетворявшие массовый спрос своих сограждан, не могли так тщательно отделывать каждую вещь, как при заказах князей или епископов. Чеканку они заменяли штамповкой на матрицах, литье по тонким восковым моделям, уничтожаемым в процессе производства, заменяли литьем в твердых каменных формах, допускавших многие сотни отливок. Тонкую напаян-

art. The gold and silversmiths often covered smooth surfaces, for example, of *kolt* pendants, with literally thousands of microscopic rings, embellishing each with a minute silver granule which was soldered to it, and covered silver with gilt and niello to stress the play of light and shade. The art of enamelling demanded a high degree of skill because the pattern on the gold surface was achieved by soldering thin, narrow strips of gold in an upright position and filling in the space later with enamels of different colours. The eleventh-century German master Theophilus of Paderborn, when naming the countries famed for certain skills, gave Russia, then celebrated throughout Europe for its superb enamel and niello silverware, one of the first places in his list of honour.

The work of the urban masters was by

29. *«Рязанские бармы». Ожерелье с медальонами и бусами из клада, найденного в 1822 году в Старой Рязани Золото, самоцветы, жемчуг. Перегородчатая эмаль, скань, зернь. XII в. Государственная Оружейная палата*

30. *Ожерелье с медальонами и бусами из клада, найденного в 1822 году в Старой Рязани Золото, самоцветы, жемчуг. Скань, зернь. XII в. Государственная Оружейная палата*

29. *'Ryazan barmy'. Necklace with medallions and beads from treasure found in Staraya Ryazan in 1822 Gold, precious stones, pearls. Cloisonné enamel, filigree, granulation. 12th century State Armoury*

30. *Necklace with medallions and beads from treasure found in Staraya Ryazan in 1822 Gold, precious stones, pearls. Filigree, granulation. 12th century State Armoury*

ную зернь и скань из крученой проволоки они имитировали посредством простого литья. Все было направлено на то, чтобы с наименьшими затратами времени, сил и материалов создать много таких вещей, которые были бы похожи на дорогие, тщательно, кропотливо отделанные княжеские и боярские украшения.

Главным источником наших сведений о художественном ремесле являются многочисленные клады, зарытые во время нашествия Батыя в 1237—1241 годах. Среди них нет ни одного клада с оружием или посудой, все они представляют собой гарнитуры украшений княгинь и боярынь, спрятанные во время опасности. Вещи, содержащиеся в этих кладах, относятся к более широкому хронологическому периоду — 1170—1240 годам. Очень важно отметить, что во многих кла-

no means anonymous. For example, we know the names of several jewellers: Flor Bratilo of Novgorod (early twelfth century), Constantine of Novgorod (mid-twelfth century), Constantine of Vshchizh, Lazar Bogsha of Polotsk (1160s) and Maxim of Kiev.

The artisans who lived in the surburbs of various towns and produced their wares *en masse* could not possibly give as much attention to every detail as when working on individual orders from princes or bishops. When working for the market they replaced chasing with stamping and the use of dies, and instead of casting with fine wax models which were destroyed in the process they employed hard stone forms which could be used for many hundreds of casts; they imitated the granulation work or filigree of twisted wire by means of simple casting. Everything

31–33. *Медальоны (с изображениями Богоматери, Христа и архангела) от ожерелья из клада, найденного в 1900 году у села Сахновка, Каневского уезда, Киевской губернии (увеличены)
Золото, жемчуг, цветное стекло
Перегородчатая эмаль, зернь
XII — начало XIII в.
Киевский государственный исторический музей* →

31–33. *Medallions (with representations of the Virgin, Christ and an archangel) from a necklace in treasure found by the village of Sakhnovka, Kanev District, Kiev Province, in 1900 (enlarged)
Gold, pearls, coloured glass. Cloisonné enamel, granulation. 12th–early 13th century
Kiev State History Museum* →

ΜΡ
ΘΥ

IC
XC

дах содержатся вещи более чем из одного гарнитура: одни из них принадлежат к парадному (очевидно, свадебному) убору, другие же, более простые, — к повседневному.
Убор княгини состоял, судя по миниатюрам и археологическим данным, из «венца городчатого» — высокого кокошника, увенчанного в верхней части золотой зубчатой короной с эмалевыми изображениями и жемчугом. От боковых сторон венца к плечам на золотых узорчатых цепях («ряснах») спускались «колты» — округлые чечевицеподобные подвески тоже с эмалевыми изображениями. Шею и оплечье украшали бусы, золотые плетеные гривны и золотые мониста из больших медальонов, усыпанных самоцветами. Браслеты в этом уборе, очевидно, не полагались, так как ни

was done to save time, effort and material in the mass produced wares which imitated the much more valuable and time-consuming articles made to order for princes and boyars.
The numerous treasures buried in the earth during the 1237–1241 invasion by Khan Batu are the main source of our knowledge of the arts and crafts of that period. No arms or domestic utensils have been found. At times of danger only whole sets of jewellery belonging to princesses and boyar ladies were hidden. This buried treasure in fact covers a much longer period, from 1170 to 1240. In many cases more than one entire set of jewellery was unearthed–one to be worn on special occasions (apparently weddings) and others for every day wear.
Judging by the miniatures in MSS and various archaeological finds, a set of

34. *Рясны*
Золото. Перегородчатая эмаль
XII — первая треть XIII в.
Государственный Исторический музей

34. *Ryasnos*
Gold. Cloisonné enamel
12th–early 13th century
State History Museum

одного золотого браслета с эмалью и камнями, который соответствовал бы по стилю всем остальным предметам гарнитура, ни в одном кладе не найдено. Браслеты, вероятно, заменялись шитыми парчовыми поручами, завершавшими узкий рукав верхней одежды. На самых торжественных уборах, предназначенных, очевидно, для церемоний, связанных с церковными обрядами, имеется много христианских изображений. На одной из корон изображен целый деисусный чин, который впоследствии стал помещаться в церковных иконостасах: Иисус Христос, Богородица, Иоанн Предтеча, два архангела и два апостола. Эмалевая надпись «ПАВЬЛЪ» удостоверяет русское, а не византийское происхождение короны. Церковные сюжеты часты на монистах и на колтах.

jewellery worn by a princess consisted first of all of a *venetz gorodchaty*—a tall *kokoshnik* headdress surmounted by a gold diadem with enamel inlay and pearls. On both sides of the headdress hung *kolt* pendants—rounded, lentil-shaped medallions with enamel inlay which were suspended by *ryasnos*—very ornate gold chains. Neck and shoulders were adorned with various kinds of beads, twisted gold *grivna* (torque) and gold *monisto* necklaces made of a number of big medallions studded with precious stones. Apparently there were no matching bracelets, since none of the treasure troves have yielded a single gold bracelet with enamel and precious stones corresponding in style to the rest of the articles. Evidently instead of bracelets the women wore brocade and embroidered wristbands which finished off the narrow sleeve of the dress. The

35. *Перстень с княжеским знаком*
Серебро. Чеканка. XII в.
Государственный Исторический музей
36. *Серьга киевского типа*
Серебро. Скань, зернь. XII в.
Киевский государственный исторический музей
37. *Колты*
Золото. Перегородчатая эмаль. XII в.
Киевский государственный исторический музей
38. *Медальон (увеличен)*
Золото. Перегородчатая эмаль
XII — начало XIII в.
Государственная Оружейная палата

35. *Ring with Grand Prince's insignia*
Silver. Chasing. 12th century
State History Museum
36. *Ear-ring in Kiev style*
Silver. Filigree, granulation. 12th century
Kiev State History Museum
37. *Kolt pendants*
Gold. Cloisonné enamel. 12th century
Kiev State History Museum
38. *Medallion (enlarged)*
Gold. Cloisonné enamel. 12th–early 13th century
State Armoury

Наряду с такими пышными и очень дорогими золотыми уборами, напоминающими коронационные, существовали более скромные серебряные. В них никогда не встречаются короны «городчатых венцов», нет рясен, состоящих из ряда круглых медальонов, и поэтому их следует считать или повседневным убором княгинь, или убором боярынь. В их орнаментике больше языческих элементов, и по стилю они ближе украшениям простых горожанок.

К сожалению, до нас почти не дошли другие изделия мастеров прикладного искусства: оружие, столовая утварь, конский убор, мебель — и мы должны довольствоваться отдельными разрозненными вещами.

Почетное место среди изделий оружейников принадлежит стальному мечу русской работы около 1000 года

sets of jewellery, evidently worn only on ceremonial occasions connected with the church, are often decorated with a number of Christian images. One of the crownlike headdresses, for example, has a *Deesis* the design of which was later used in church iconostases: *Jesus Christ, the Virgin Mary, St John the Baptist,* two archangels and two apostles. The enamelled inscription ПАВЬЛЪ testifies to the Russian rather than Byzantine origin of the crown. Christian subjects are frequently found on *monisto* necklaces and *kolt* pendants.

Besides these magnificent and expensive gold sets resembling those used at coronation ceremonies, more modest silver sets of jewellery were found. They never included crown-like headdresses or *ryasno* chains consisting of a number of round medallions, and were evidently used by the princesses for everyday

39. *Подвеска в форме «сионца» из клада, найденного в 1822 году в Старой Рязани*
Золото. Перегородчатая эмаль, скань. XII в.
Государственная Оружейная палата

40. *Киевские серьги*
Золото. Скань, зернь. XII в.
Государственный Исторический музей

41. *Колт*
Серебро. Скань. XII в.
Киевский государственный исторический музей

39. *Pendant in the form of a Zion from treasure found in Staraya Ryazan in 1822*
Gold. Cloisonné enamel, filigree. 12th century
State Armoury

40. *Kiev ear-rings*
Gold. Filigree, granulation. 12th century
State History Museum

41. *Kolt pendant*
Silver. Filigree. 12th century
Kiev State History Museum

из окрестностей Миргорода. Его выковал, судя по клейму, «Людо(т)а Коваль». Рукоять меча богато украшена тератологическим орнаментом. Другой меч с растительным орнаментом XI—XII веков найден на Волыни.
Большой интерес представляет парадный топорик из Волжской Болгарии, связываемый с именем князя Андрея Боголюбского на том основании, что в трех местах на топорике помещена буква «А» (Андрей лично участвовал в походе на Бóлгар в 1164 году, и там он сам или кто-либо из его рынд мог потерять топорик). Сталь топорца высеребрена; рисунок нанесен гравировкой и подчеркнут позолотой. На одной щеке лезвия изображен меч, пронзающий змея, а на другой — «древо жизни» с двумя птицами по сторонам. Заклинательную формулу обоих рисунков

wear or perhaps belonged to nobility of lesser rank. The ornamentation of these articles included more paganism and in style was closer to jewellery worn by city dwellers.
It is to be regretted that we found practically no other articles or objects of applied art produced by urban craftsmen–objects such as arms, tableware, various horse accoutrements or furniture; there are no complete sets, only various individual items.
The place of honour among the arms goes to the steel sword manufactured about the year 1000 by a Russian craftsman in a suburb of Mirgorod. It was apparently the work of Lyudota the Blacksmith, judging from the stamp on the sword, the handle of which is richly decorated with a teratological design. Another sword with a floral design dating back to the eleventh or twelfth cen-

42. *Браслеты*
Серебро. Литье, гравировка, чернь. XII в.
Киевский государственный исторический музей

42. *Bracelets*
Silver. Casting, engraving, niello. 12th century
Kiev State History Museum

можно расшифровать так: «Пусть процветает жизнь и да погибнет зло!»
Из парадных, богато украшенных доспехов сохранился шлем, найденный на Липецком поле под Юрьевом-Польским, где происходили две битвы: в 1176 и в 1216 годах. По всей вероятности, он связан с первой датой. На челе шлема вычеканено по серебру изображение архистратига Михаила, покровителя полководцев, а на шишаке — четыре изображения святых. Интересен чеканный бордюр тульи шлема, где в сердцевидных клеймах размещены грифоны и птицы по сторонам «древа жизни».

Множество произведений декоративного искусства хранилось в церковных зданиях. Воздвигаемые на видных местах, возвышавшиеся над

tury, was found in the Volyn Region of the Ukraine.
The ceremonial axe found on territory once inhabited by the Volga Bulgars is of great interest and ascribed to Prince Andrei Bogolyubsky because it bears the letter *A* inscribed in three places (Prince Andrei Bogolyubsky took part in the 1164 campaign against the Bulgars and might easily have lost his axe or it might have been lost by one of his *rynda* attendants). It is made of silvered steel and bears an engraved and gilded design. On one side a sword is shown piercing a serpent and on the other–the Tree of Life flanked by two birds. The incantatory formula of both designs could be deciphered in the following manner: 'Let life triumph and evil perish!'
Among the splendid highly ornate armoury of the period is a helmet which

43. *Браслет (с изображением птиц и грифонов-василисков) из клада, найденного в 1893 году в Киеве*
Серебро. Гравировка, чернь. XII в.
Государственный Русский музей

43. *Bracelet (with representations of birds and griffon-basilisks) from treasure found in Kiev in 1893*
Silver. Engraving, niello. 12th century
State Russian Museum

обычными постройками, обозреваемые и с городских площадей и с далеких подъездов к городу, предназначенные для посещения горожанами, знатью и иноземцами, церкви и соборы были своеобразным средоточием средневековой культуры.
Мастера-декораторы украшали порталы и стены соборов белокаменной резьбой, кружевом из позолоченной меди обрамляли купола и закомары, тончайшим золотым письмом расписывали церковные врата. Один из русских летописцев XII века, Кузьмище Киянин, так описывал дворцовую церковь в Боголюбовском замке, построенную Андреем Боголюбским: «Князь Андрей создал эту церковь в память себе и украсил ее многоценными иконами, золотом, самоцветами и великим бесценным жемчугом.
Он снабдил ее различными окладами

was found on Lipetskoye Field near Yuriev-Polskoi, the scene of famous battles in 1176 and 1216. Most probably the helmet dates back to the battle of 1176. It bears in front a silver chased representation of the Archistrategus Michael, the patron saint of military leaders, and images of four saints. Very interesting is the chased pattern running round the rim of the helmet where in heart-shaped medallions are placed griffons and birds flanking the Tree of Life (a theme derived from paganism).

It was in the churches that the majority of works of decorative art were preserved. Built in prominent places and towering as they did over the rest of the buildings, easily seen from market squares and city approaches, attended by townsmen, the nobility and for-

44. *Браслет (с изображением птиц и зверей) из клада, найденного в 1896 году во Владимире*
Серебро. Позолота, гравировка. XII—XIII вв.
Государственный Исторический музей

44. *Bracelet (with representations of birds and beasts) from treasure found in Vladimir in 1896*
Silver. Gilding, engraving
12th–13th centuries
State History Museum

на иконы, каменными досками и разукрасил всяким узорочьем. Церковь стала такой сияющей, светлой, что трудно было смотреть, так как вся она была золотой.
Князь украсил ее удивительной и дорогой церковной утварью так, что все приходившие дивились и не могли выразить своего восхищения ее выдающимся великолепием: она была украшена золотом и эмалью, снабжена всей необходимой церковной утварью, всевозможными богослужебными сосудами и золотым «иерусалимом» с драгоценными каменьями, дорогими рипидами и разнообразными паникадилами.
Внутри храм снизу доверху, по стенам и по колоннам, был окован золотом.
Двери и портал тоже были окованы золотом.

eigners, the churches and cathedrals were in fact centres of medieval culture. Carved white stone decorated their portals and walls, gilded copper lacelike work embellished the cupolas and the vaults and the finest gold decoration covered the entrance doors. One of the twelfth-century Russian chroniclers described the palace church of Bogolyubovo Castle, built by Andrei Bogolyubsky, in the following words:
'Prince Andrei has built this church to commemorate his reign and decorated it with many precious icons with gold and gems and splendid priceless pearls.
'He has furnished it with various icon mountings, stone carvings and various other *uzorochye*. The church has become a bright, glorious edifice and it hurts the eyes to gaze upon it because of the glitter of gold.

45. *Браслет с изображением птиц*
Серебро. Гравировка, чернь. XII в.
Государственный Русский музей

45. *Bracelet with representations of birds*
Silver. Engraving, niello. 12th century
State Russian Museum

Был построен киворий, покрытый золотом от верха до деисуса. Вся церковь была построена с необычайным искусством и украшена всем, приличествующим храму: купол ее князь вызолотил, церковные своды и аркатурный пояс тоже были позолочены и расцвечены каменьями.
Башня вне церкви тоже была покрыта позолоченной кровлей. По всем церковным сводам и по соседней аркаде (перехода во дворец) были поставлены золотые птицы, кубки и позолоченные флюгера . . .»
Летописец Кузьмище Киянин подробно и восхищенно описал великолепный средневековый собор, над созданием и украшением которого трудились и архитекторы, и декораторы, и «кузнецы меди, серебру и золоту».
Раскопки в Боголюбове подтвердили

'The Prince has furnished it with magnificent and precious church plate so that people have come from all corners to marvel and express their wonder at its beauty: it has been embellished with objects of gold and enamel, all kinds of Eucharistic vessels and a gold *Jerusalem* studded with precious stones, it had wonderful liturgical fans and a variety of candlesticks.
'Inside everything is covered with sheet gold–the walls and the columns from top to bottom. The doors and portals are also covered with gold.
'The Prince has also built a ciborium and covered it with gold from the top to the *Deesis.* The church is beautifully built and fitted with everything a church should have: the Prince has gilded its dome and the vaults, and the decorative band is also gilded and set with precious stones.

46–48. *Венец из клада, найденного в 1900 году у села Сахновка, Каневского уезда, Киевской губернии. Детали (47, 48) сильно увеличены*
Золото. Перегородчатая эмаль. XII в.
Киевский государственный исторический музей →

46–48. *Diadem from treasure found near the village of Sakhnovka, Kanev District, Kiev Province, in 1900. Details (47, 48), greatly enlarged*
Gold. Cloisonné enamel. 12th century
Kiev State History Museum →

правильность слов Кузьмища Киянина: около сохранившейся башни найдены фундаменты аркады, рядом с церковью найден великолепный белокаменный восьмиколонный киворий.

Портал действительно был обит листами позолоченной меди. В других зданиях есть медные двери, на которых протравлен и покрыт золотом рисунок; в музейных коллекциях есть и «цаты с финиптом», и позолоченные «иерусалимы», и сосуды для причастия, и паникадила.

Великолепным образцом золотого письма по меди являются западные и южные двери Рождественского собора в Суздале, относящиеся к началу 1230-х годов. Обе двери изощренно украшены орнаментальными полосами, разделяющими пластины с сюжетными изображениями.

The tower has a gilded roof. All the church arches and the nearby arcade (leading to the palace) are graced with gold birds, cups and gilded weather vanes . . .'

The chronicler Kuzmishche Kiyanin described in great detail and with deep admiration the magnificent medieval cathedral on which had laboured architects and artists, coppersmiths, silversmiths and goldsmiths.

The excavations at Bogolyubovo supported his description. Next to the tower were found the foundations of the arcade, and close to the church a splendid white stone octagonal ciborium.

The portals were in fact covered with sheets of gilded copper. Other buildings also had copper doors with a fire-gilding design; in various museums one can see 'crescent collars with *finift*' and gilded *Jerusalems* (or *Zions*) from

49	50	51
52	53	54

49–52. *Колты*
Золото. Перегородчатая эмаль. XII в.
Киевский государственный исторический музей
53, 54. *Колты*
Медь. Перегородчатая эмаль. Начало XIII в.
Киевский государственный исторический музей
55. *Рясны и колты (последние найдены на Княжей Горе, Черкасского уезда, Киевской губернии)*
Золото. Перегородчатая эмаль. XII в.
Киевский государственный исторический музей

49–52. *Kolt pendants*
Gold. Cloisonné enamel. 12th century
Kiev State History Museum
53, 54. *Kolt pendants*
Brass. Cloisonné enamel. Early 13th century
Kiev State History Museum
55. *Ryasnos and kolts (the latter were found on Knyazhya Hill, Cherkassy District, Kiev Province)*
Gold. Cloisonné enamel. 12th century
Kiev State History Museum

На западных (главных) вратах даны евангельские и апокрифические сюжеты. Южные врата целиком посвящены военным сюжетам (библейские мифы об архистратиге Михаиле и его победах над врагами); в особых медальонах изображены святые воины (Георгий, Федор Стратилат, Федор Тирон, Дмитрий Солунский, Нестор, Евстафий). Два медальона посвящены врачам-целителям. Словно призывая сограждан к твердости духа, художник изобразил также пророка Даниила, вдохновлявшего войска на бой с иноплеменниками, и трех отроков в пещи огненной, пострадавших за свои убеждения. Такой целенаправленный подбор военных сюжетов, быть может, объясняется тем, что постройка собора началась в годы, когда на южной границе Руси обосновались грозные

Bogolyubovo as well as vessels for the Eucharist and floor candelabra.

The west and south doors of the Cathedral of the Nativity in Suzdal, dating back to the early 1230s, are a splendid example of gold 'painting' on brass. Both doors are skilfully decorated with ornamental bands which serve as divisions between the individual scenes and images.

The west (main) doors bear Gospel and apocryphal themes. The south doors are devoted to military subjects (Biblical stories about the Archistrategus Michael and his victories over the enemy); the individual medallions show the warrior saints–*George, Theodore Stratilates, Theodore Tyron, Demetrius of Thessalonica, Nestor and Eustathius.* Two of the medallions are devoted to saints who were healers. The artist seemed to appeal to his fellow citizens

56. *Колт (оборотная сторона) и подвеска Медь. Перегородчатая эмаль. XIII в. Киевский государственный исторический музей*

56. *Kolt (reverse) and pendant Brass. Cloisonné enamel. 13th century Kiev State History Museum*

войска Чингисхана, разгромившие русских князей на Калке. В эти годы посвятить южные врата нового собора святым покровителям в войнах было вполне уместно.

Подобная техника золотого письма применялась для украшения не только входных дверей порталов, но и внутренних, так называемых царских врат, отделявших алтарь от остальной церкви. Образцом могут служить небольшие врата из коллекции Н. П. Лихачева. Изображения сцены «благовещения» и четырех евангелистов на них близки к книжной миниатюре, а орнамент обрамления пластин с его растительным плетением и грифонами очень близок к орнаментике ювелирных изделий. По начертаниям букв в надписях лихачевские врата следует датировать серединой или второй половиной XII века.

to be of good heart when he also portrayed the *Prophet Daniel* who inspired troops to fight against the aliens, and the *Three Youths in the Fiery Furnace* who suffered for their beliefs. The choice of military subjects can be explained by the fact that the building of the church began in the years when the army of Genghis Khan who defeated the Russian princes on the River Kalka was spread along the southern borders of Rus. The fact that the south doors of the new church were dedicated to the holy patrons of the army was in the spirit of the times.

Gold 'painting' was used not only to decorate the outer doors but also the so-called *Royal Doors* which divided the altar from the rest of the church. A good example of the technique used are the small doors from the collection of N. P. Likhachov. The representations of

57. *Топорик, найденный в 1910 году в Старой Ладоге в слое X—XI вв. Бронза (лезвие стальное). Ковка Государственный Русский музей*

57. *Ceremonial axe, found at Staraya Ladoga in the 10th–11th century layer, in 1910 Bronze (cutting edge of steel). Forging State Russian Museum*

Внутри церкви посетителям особенно были заметны паникадила в двенадцать — шестнадцать свечей, освещавшие внутреннее пространство храма. Мастера-литейщики делали их из ажурных бронзовых пластин, а около каждой свечи помещали, словно сказочную жар-птицу, изображение птицы или крылатого грифона.

В ризнице новгородского Софийского собора сохранились два «иерусалима», «сиона». Так называли серебряные или золотые модели храмов, выносимые во время торжественных богослужений на срединную часть церкви.

Один из новгородских сионов дошел до нас в плохой сохранности, уцелел лишь самый остов из шести колонн и купола. Наибольший интерес представляют ажурные тимпаны арок

the *Annunciation* and the four *Evangelists* on them are very close in technique to book miniature painting, while the floral design with griffons set in bands around them closely resemble similar designs in jewellery. The Likhachov doors probably date back to the latter half of the twelfth century, judging by the shape of the letters in the inscription.

Big floor candelabra, each to hold twelve or sixteen candles, were conspicuous inside churches. Made by master craftsmen, they were usually fashioned of open-work bronze strips, and by each candleholder, looking like some fabulous Fire-bird, was a bird or other kind of mythical winged creature.

In St Sophia's in Novgorod were found two *Jerusalems* or *Zions*. They were silver or gold scale models of churches and were placed in the centre of the

58, 59. *Церемониальный топорик князя Андрея Боголюбского*
Сталь, листовое серебро, набитое по насечке. Позолота, гравировка. XII в.
Государственный Исторический музей

58, 59. *Ceremonial axe of Prince Andrei Bogolyubsky*
Steel, silver damascening. Gilding, engraving
12th century
State History Museum

с шестью большими серебряными цветами на каждом. Возможно, что это тот «иерусалим», который был изготовлен новгородцами после того, как Всеслав Полоцкий, овладев Новгородом, взял существовавший там сион в качестве трофея. (Об этой обиде новгородцы помнили еще в 1180 году, когда их князь Мстислав Храбрый собирался отвоевывать церковную утварь у внука Всеслава.)

Особенно хорошо известен второй сион новгородского Софийского собора, основная часть которого изготовлена новгородским мастером середины XII века. Сион представляет собой купольную ротонду с шестью арками, опирающимися на узорчатые романские колонны с растительным орнаментом. В каждой арке — ажурный плетеный тимпан и две прямоугольные дверцы с чекан-

cathedral during special divine services on feast days.

One of the Novgorod *Zions* has come down to us–but not in very good condition. Only the main body, consisting of six columns and a dome, has been preserved. The lacelike tympanums of the arches with six large silver columns on each, are of great interest. It is possible that this *Zion* is indeed the one made by the Novgorodians after Prince Vseslav of Polotsk had conquered Novgorod and seized the earlier *Zion* as a trophy. (The people of Novgorod still recalled this injury much later, in 1180, when their Prince Mstislav the Brave was preparing to fight Prince Vseslav's grandson for the return of church vessels.)

Especially well known is the second *Zion* from the Novgorod Cathedral of St Sophia the main part of which was

60. *Царские врата (из б. собрания Н. П. Лихачева)*
Медь. Золотая наводка. XII в.
Государственный Русский музей →

61. *Евангелист Марк. Деталь царских врат (из б. собрания Н. П. Лихачева)*
Золотая наводка на меди. XII в. →

60. *Royal Doors (from the former N. P. Likhachov collection)*
Brass. Fire-gilding. 12th century
State Russian Museum →

61. *St Mark the Evangelist. Detail from the Royal Doors (from the former N. P. Likhachov collection)*
Brass. Fire-gilding. 12th century
State Russian Museum →

ными изображениями апостолов, как бы беседующих друг с другом под аркадами здания. В верхней части дан деисусный чин. Шесть верхних медальонов и двенадцать фигур апостолов на створках стилистически едины и, можно полагать, сделаны одним мастером, по всей вероятности, не ранее середины XII века. Фигуры апостолов даны в рост; головы их несколько крупноваты, лица характерны и выразительны. Художник умело строит ракурсы, интересно и разнообразно драпирует фигуры. Чтобы достичь большей декоративности, чеканщик применил позолоту и чернь. В целом сион Софийского собора представляет собой прекрасный образец русского чеканного искусства середины XII века.

В ризнице того же Софийского собора хранятся два великолепных со-

the work of a mid-twelfth century Novgorod artisan. It is in the form of a domed rotunda with six arches supported on highly ornamental Romanesque columns with floral design. Each arch has an openwork plaited tympanum and two rectangular doors with chased images of Apostles seemingly engaged in talk in the cloisters of the building. The upper part of the *Zion* bears a *Deesis.* The six top medallions and the twelve figures of the Apostles on the doors are united stylistically and could be the work of the same master craftsman, dating to around the middle of the twelfth century. The figures of the Apostles are given full length; their heads are somewhat large, but the faces are expressive, with individual characteristics. The artist was very skilled at foreshortening and was able to arrange the draping of the clothes in an interest-

62. *Западные двери Рождественского собора в Суздале*
Деталь
Медь. Золотая наводка. Начало XIII в.

62. *West doors of the Nativity Cathedral in Suzdal*
Detail
Brass. Fire-gilding. Early 13th century

суда XII века, подписанные именами изготовивших их мастеров. Сосуды очень близки по стилю, хотя сделаны в разное время. Очевидно, второй мастер — Коста — копировал изделие своего талантливого предшественника Флора-Братилы.

Сосуд Братилы в сечении имеет форму квадрифолия; книзу он суживается, переходя в круглый поддон. Особую пышность ему придают ручки в виде изогнутого цветка на стебле, покрытые тончайшим узором. На округлых гранях тулова вычеканены фигуры святых в рост, а на острых гранях и внизу — декоративные изогнутые растения. Кроме Христа и Богородицы здесь есть фигуры Петра и Варвары. Это объясняется надписью на поддоне: «Се сосуд Петрилов и жены его Варвары». Значит, этот сосуд для причастия был

ing and highly varied manner. The chaser also used gilding and niello to heighten the ornamentation. On the whole the *Zion* from St Sophia's is an excellent example of Russian chased work of the mid-twelfth century.

In the same cathedral are two splendid twelfth-century vessels bearing the signatures of the craftsmen who made them. Though of different periods they are very similar. Apparently the second craftsman (Kosta) copied the work of his highly talented predecessor, Flor Bratilo.

The vessel made by Bratilo is quadrifoil in cross section; it narrows towards the bottom and has a round base. The ornate handles in the form of a twisted flower stem, covered with an intricate design, give it a rich splendour. The rounded sides of the body of the vessel bear chased full-length figures of saints, and

63–65. *Южные двери Рождественского собора в Суздале*
Детали
Медь. Золотая наводка. Первая треть XIII в.

63–65. *South doors of the Nativity Cathedral in Suzdal*
Details
Brass. Fire-gilding. First quarter 13th century

предназначен какой-то знатной и богатой супружеской паре, имевшей возможность причащаться не из общего церковного потира, а из особого личного сосуда, очевидно, в своей домовой церкви.

Все это, равно как и мастерство отделки сосуда, говорит в пользу знатности Петрилы. Летописи знают посадника новгородского Петрилу Микульчича, погибшего на войне в Суздальщине в 1135 году. По всей вероятности, сосуд работы Братилы был заказом этого видного боярина. Спустя некоторое время другой мастер — Константин (Коста) — сделал сосуд для другого новгородского боярина, тоже Петра по имени, взяв за образец изделие Братилы.

Примерно в это же время и в этом же кругу новгородских мастеров был выполнен прекрасный серебря-

curved floral designs outline the sharp divisions and also the bottom of the vessel.

Besides *Christ* and the *Virgin* the artist included the figures of *SS Peter and Barbara.* The inscription explains the choice: 'This is the vessel of Peter (Petrilo) and his wife Barbara'. It means that the vessel was used by a rich aristocratic couple who took the Eucharist in a vessel of their own, most probably in their own private church.

These facts as well as the artistic qualities of the vessel point to Peter's high position in society. The chronicles mention a certain Petrilo Mikulchich, one of the governors of Novgorod, who died during the war of 1135 against the Suzdalians. Most probably the vessel made by Bratilo was commissioned by this outstanding Novgorodian boyar. Some time later another master, Con-

66–69. *Южные двери Рождественского собора в Суздале*
Детали
Медь. Золотая наводка. Первая треть XIII в.

66–69. *South doors of the Nativity Cathedral in Suzdal*
Details
Brass. Fire-gilding. First quarter 13th century

ный оклад большой иконы Петра и Павла в Софийском соборе. Он орнаментирован сплошным узором из крупных чеканных цветов и листьев, а по широким полям художник поместил арки, внутри которых изобразил различных святых. Исследователи устанавливают стилистическое сходство фигур на окладе и фигур на сосудах Братилы и Косты и считают временем изготовления оклада время княжения в Новгороде Всеволода-Гавриила Мстиславича (1125—1136 годы), так как архангел Гавриил, христианский патрон этого князя, изображен в царских одеяниях. Обращает на себя внимание подбор святых на окладе: всю правую половину оклада занимают святые целители, врачи. Особняком стоят две женские фигуры — Варвары и Феклы.

В княжение Всеволода была только

stantine (Kosta) made another vessel for a Novgorod boyar whose first name was also Petrilo, taking as his model Bratilo's work.

Of approximately the same time, and also the work of a Novgorod master, is a magnificent silver mounting for the big icon of *SS Peter and Paul* in St Sophia's. It has an overall design of large chased flowers and leaves and the wide border has a pattern of arches with various saints set within them. Art historians have established a stylistic similarity between the figures on the icon mounting and those on the vessels made by Bratilo and Kosta, and date the mounting to the reign of Vsevolod-Gabriel Mstislavich in Novgorod (1125–1136), as the Archangel Gabriel, the patron saint of the Prince, is represented wearing royal robes. The selection of saints in the mounting is also of interest: the

70. *«Покров Богоматери» Деталь южных дверей Рождественского собора в Суздале Золотая наводка на меди. Первая трсть XIII в.* →

71. *Львиная маска с ручкой-кольцом на западных дверях Рождественского собора в Суздале*
Медь. Литье, чеканка. Начало XIII в. →

70. *The Intercession of the Virgin. Detail from the south doors of the Nativity Cathedral in Suzdal*
Brass. Fire-gilding. First quarter 13th century →

71. *Lion mask with a ring-handle on the west doors of the Nativity Cathedral in Suzdal*
Brass. Casting, chasing. Early 13th century →

КРОВ
БЦА

одна большая и тяжелая для новгородцев кампания, которая могла вызвать такой специальный подбор покровителей военного и врачевального дела, — поход на Суздальщину 1135 года, в котором погиб уже знакомый нам посадник Петрила. Так как икона посвящена патрону посадника — апостолу Петру, а на окладе есть и изображение св. Варвары, то можно думать, что роскошный оклад на патрональную икону посадника Петрилы был заказан или самим посадником, или его женой, боярыней Варварой. Заказ мог быть выполнен тем же художником, который ранее изготовил для совместного причащения Петрилы и Варвары евхаристический сосуд. По случаю важности похода художник отвел много места покровителям воинов и святым целителям.

entire right side is devoted to healer-saints. Two female saints, *SS Barbara and Thecla* have a place of their own. During the reign of Prince Vsevolod there was only one military campaign—it demanded great effort and entailed tremendous losses—which could be the reason for this particular selection of saints. It was the Novgorodian campaign of 1135 against the Suzdalians, during which the above-mentioned Governor Petrilo perished. As the icon is dedicated to the *Apostle Peter,* the governor's patron saint, and the mounting includes the image of *St Barbara,* it can be assumed that the magnificent mounting for the patronal icon of the Governor Petrilo was commissioned either by himself or his wife, the boyarynya Barbara. The commission might have been undertaken by the same master craftsman who earlier made the

72. *Грифон. Изображение на южной двери Рождественского собора в Суздале Золотая наводка на меди. Первая треть XIII в.*

73. *Потир из Спасо-Преображенского собора в Переславле-Залесском Серебро. Чеканка, позолота, гравировка Середина XII в. Государственная Оружейная палата*

72. *Griffon. Representation on the south doors of the Nativity Cathedral in Suzdal Brass. Fire-gilding. First quarter, 13th century*

73. *Chalice from the Cathedral of the Transfiguration in Pereslavl-Zalessky Silver. Chasing, gilding, engraving Mid-12th century State Armoury*

С именами Юрия Долгорукого и его сына Андрея Боголюбского связан потир — сосуд для причастия из Переславля-Залесского.

Юрий Долгорукий в конце своей жизни начал строить собор в Переславле, но достраивать здание пришлось уже его сыну Андрею, стремившемуся увековечить «память отечества своего». Андрей, очевидно, снабдил новопостроенный собор и утварью, необходимой для богослужения. Из этой утвари уцелел потир с деисусным чином, дополненным изображением св. Георгия, патрона Юрия Долгорукого. Шесть медальонов представляют собой прекрасные образцы гравировки по серебру. Хороши выразительные фигуры Богоматери и Иоанна Крестителя. Особенно же удалась художнику пластическая лепка голов архангелов.

Eucharistic vessel for Petrilo and Barbara. The importance of the campaign must have dictated the choice of the warrior and healer-saints.

The chalice from Pereslavl-Zalesky is connected with Prince Yuri Dolgoruki and his son Prince Andrei Bogolyubsky. Towards the end of his life Yuri Dolgoruki began building a church in Pereslavl. His son Andrei who wished to perpetuate his father's memory, completed it. Apparently it was also Prince Andrei who donated all the necessary vessels and church furnishings. Only the chalice which is decorated with the *Deesis,* with the addition of *St George,* the patron saint of his father Prince Yuri Dolgoruki, is now extant. The six medallions on the vessel are splendid examples of silver engraving. Especially expressive are the images of the *Virgin* and *St John the Baptist.* The plastic

74, 75. *Богоматерь и Христос. Изображения на потире из Спасо-Преображенского собора в Переславле-Залесском Гравировка по серебру. Середина XII в.*

74, 75. *The Virgin and Christ. Representations on the chalice from the Cathedral of the Transfiguration in Pereslavl-Zalessky Silver. Engraving. Mid-12th century*

Большой интерес для истории прикладного искусства представляет богато украшенный напрестольный крест из Спасского монастыря в Полоцке, изготовленный в 1161 году. Крест обложен серебром, золотом, расцвечен самоцветами, украшен эмалевыми изображениями святых и эмалевыми же орнаментальными вставками; по граням он усажен жемчугом. Этот крест — редчайший образец тех средневековых изделий, по поводу даты и происхождения которых не нужно раздумывать и гадать — все нужные нам сведения написаны на нем самом при его изготовлении: заказчик — княжна Евфросинья Полоцкая; мастер — Лазарь-Богша (Богуслав?); дата — 1161 год; цена материала — 100 гривен; стоимость работы — 40 гривен; место назначения — храм Спасского

flowing outlines of the heads of the archangels are most successful.
From the point of view of the history of applied art the altar cross made in 1161 for the Saviour Convent in Polotsk is of great interest. The cross is inlaid with silver and gold, set with precious stones and embellished with enamelled images of saints and enamelled ornamental plaques; the cross is outlined in pearls along every edge. It is a rare example of those medieval works of art which leave no doubt as to their origin and date, for all the necessary particulars were recorded on it at the time: ordered by Princess Euphrosine of Polotsk; made by Lazar Bogsha (Boguslav?); date 1161; value of materials used 100 *grivnas;* value of work 40 *grivnas;* made for the Convent's main church, the Church of the Saviour. The cost of the cross–140 *grivnas*–was

76, 77. *Иоанн Предтеча и архангел Гавриил. Изображение на потире из Спасо-Преображенского собора в Переславле-Залесском Гравировка по серебру. Середина XII в.*

76, 77. *St John the Baptist and the Archangel Gabriel. Representation on the chalice from the Cathedral of the Transfiguration in Pereslavl-Zalessky Silver. Engraving. Mid-12th century*

женского монастыря в Полоцке. Сумма в 140 гривен очень значительна. Это — цена почти трех десятков холопов, или 140 волов, или целого стада в 700 баранов. Это — половина годового дохода епископа со всей епархии!

Не удивительно, что на столь ценном кресте мастер написал самые страшные проклятия в адрес того, кто дерзнет отнять это сокровище у монастыря, будет ли он «властелин или князь или епископ».

Особый раздел в церковном искусстве составляют мощевики-ковчежцы, в которых хранились различные изобретения средневековой церковной фантазии: «древо от креста господня», косточки от скелетов святых мучеников, «млеко пресвятой Богородицы» и т. п.

Образцом таких ковчежцев может

very high for that time. That amount would buy thirty serfs or 140 oxen or a whole flock of 700 sheep. It represented six months' salary for a bishop in charge of a diocese.

It is not surprising then that the master craftsman who made the cross placed a terrible curse on anyone who attempted to remove it from the Convent, whether he be 'the ruler, the Prince, or the Bishop'.

The reliquaries in which were preserved various flights of medieval fantasy connected with a church–'wood from the True Cross', 'the milk of the Holy Virgin' and pieces of bone of the martyrs and so on–comprise a separate branch of church art.

An example of such reliquaries is a small silver one decorated with niello. It was customary in early Russia to wear big crosses-encolpions containing

78. *Кратир из Софийского собора в Новгороде. Работа мастера Братилы*
Серебро. Литье, чеканка, позолота, гравировка. Первая четверть XII в.
Новгородский историко-архитектурный музей-заповедник

78. *Krater from St Sophia's in Novgorod. Work of Flor Bratilo*
Silver. Casting, chasing, gilding, engraving
First quarter 12th century
Novgorod Museum of Architecture and Ancient Monument

служить небольшой серебряный мощевик, отделанный черныо.

В древней Руси был обычай носить на груди поверх одежды большие двухстворчатые кресты-энколпионы, внутри которых тоже находились разного рода «мощи».

В музейных коллекциях сохранилось множество энколпионов X—XIII веков самого различного качества — от простых ремесленных изделий до высокохудожественных произведений, изготовленных хорошими мастерами.

В каждой церкви кроме утвари для богослужения имелись книги. Написанные на телячьей коже (пергаменте), эти книги представляли собой огромную ценность. Их украшали красивыми многоцветными инициалами (заглавными буквами), заставками и миниатюрами. Книж-

various kinds of holy relics round the neck, over the clothes.

Soviet museums have big collections of tenth to thirteenth century encolpions of various kinds, from simple cheap ones to a highly artistic and valuable works of art made by skilled masters.

Every church had books in addition to various vessels used in divine service. Written on vellum, these books are extremely valuable. They are decorated with beautiful multicoloured illuminated letters, headpieces and miniatures. Book decoration was a special branch of applied art closely connected with painting.

Gold and silversmiths ornamented book covers made of leather stretched over boards. An excellent example of their work was made for Prince Mstislav the Great, son of Prince Vladimir Monomachus. These covers for the Book

79. *Птица. Изображение на ручке кратира мастера Братилы*
Гравировка по серебру. Первая четверть XII в.

80. *Орнамент на кратире мастера Братилы*
Чеканка по серебру. Первая четверть XII в.

79. *Bird. Representation on the handle of the krater made by Flor Bratilo*
Silver. Engraving. First quarter 12th century

80. *Design on the krater of Flor Bratilo*
Silver. Chasing. First quarter 12th century

ная орнаментика составляет особый раздел прикладного искусства, соприкасающийся с живописью.

Мастера золотых и серебряных дел украшали книжные переплеты, сделанные из дерева и обтянутые кожей. Известен переплет Евангелия, изготовленного по заказу сына Мономаха, князя Мстислава Великого. Как написано в послесловии книги, княжеский человек Наслав возил ее для украшения в Киев и Царьград. Работой киевского мастера можно считать шесть пятиугольных пластин, до сих пор украшающих переплет этой замечательной книги.

Канонические религиозные сюжеты встречаются не только в украшении церковной утвари. По мере усиления влияния церковников на княжеско-боярскую среду, подобные изображения стали помещать на оружии,

of Gospels, as is recorded at the end of the book, were apparently taken by one of the Prince's men, Naslav by name, to Kiev and Constantinople for ornamentation. The six pentagonal plaques which decorate the covers of this remarkable book can be considered the work of a Kiev master craftsman.

Canonical religious themes are encountered not only on church vessels and books. Similar subjects were later used on arms and armoury and even on women's jewellery when the influence of the church on the princes and boyars strengthened. On the traditional ritual wedding jewellery these motifs replaced earlier pagan ones. We often encounter images of Christian saints on twelfth and thirteenth century gold diadems, *kolt* pendants and necklaces.

Russian historians prior to the 1917 Revolution considered that every step

81. *Большой сион Софийского собора в Новгороде*
Серебро. Чеканка, позолота, чернь
Середина XII в.
Новгородский историко-архитектурный музей-заповедник

82, 83. *Богоматерь и Христос. Изображения на куполе Большого сиона Софийского собора в Новгороде*
Чеканка по серебру. Середина XII в.

81. *Grand Zion of St Sophia's in Novgorod*
Silver. Chasing, gilding, niello
Mid-12th century
Novgorod Museum of Architecture and Ancient Monument

82, 83. *The Virgin and Christ. Representations on the cupola of the Grand Zion of the Sophia's in Novgorod*
Silver. Chasing. Mid-12th century

на доспехах и даже на женских украшениях; на ритуальном свадебном наряде они стали заменять древние языческие образы. На золотых коронах, на колтах и монистах XII—XIII веков мы часто встречаем изображения христианских святых.

Дореволюционные историки считали, что каждый шаг русского человека сопровождался молитвой, что христианское мировоззрение пронизывало всю тогдашнюю жизнь. А вот поэт XII века, создавший «Слово о полку Игореве», не поминает христианского бога, его герои не молятся перед битвой, не произносят имен христианских святых. Вся поэма проникнута древним языческим символизмом: грозный Див сзывает степняков на бой с русскими, внуками Дажьбога; русский князь, обернув-

taken by a Russian was accompanied by prayer and that the Christian outlook imbued his whole life. But the twelfth-century poet who created *The Lay of Igor's Host* never mentions the God of Christianity, his heroes never pray to God before going into battle and never even utter the names of saints. The whole poem is full of ancient pagan simbolism: mighty Div calls upon the men of steppe to do battle against the Russians, the grandchildren of God Dazh; a Russian prince, 'prowling as a werewolf, he crossed the way of great God Hors' (God of the Sun in ancient Russia). The very gift of poetic speech is considered to be the natural ability of grandsons of the God Veles.

The inclination towards pagan rather than Christian ritual was remarked upon by a contemporary of author of *The Lay of Igor's Host,* who wrote: 'We

84, 85. *Иоанн Предтеча и архангел Гавриил. Изображения на куполе Большого сиона Софийского собора в Новгороде Чеканка по серебру. Середина XII в.*

84, 85. *St John the Baptist and the Archangel Gabriel. Representations on the cupola of the Grand Zion of St Sophia's in Novgorod Silver. Chasing. Mid-12th century*

шись волком, «великому Хорсу (богу Солнца) путь перерыскивает»; само поэтическое дарование — удел внуков бога Велеса...

Тяготение к языческой обрядности, а не к исполнению христианского ритуала, отмечено современниками «Слова о полку Игореве», прямо писавшими: «Видим бо игрища утолочена и людий множество на них... а церкви стоять (пусты). Егда же бывает год молитвы — мало их (горожан) обретается в церкви... И мнозии, оставше церковь, на позор (на зрелище) течаху. И нарекоша игры те — русалья».

Даже время считали по «русальным неделям» (летопись за 1170—1190 годы). «Русалии» были не просто народной забавой, отвлекавшей от церковной службы. Это были языческие ритуальные моления русалкам — бо-

see well-attended revels, thronged with people, while the churches are deserted. When comes the hour of prayer few townsfolk are found in the churches. And many, on leaving the churches, hasten to the spectacle, and they call those revels *rusalias.*'

At that period even time was counted by *rusalias* in the chronicles from 1170 to 1190. The *rusalias* were not just a popular amusement which diverted people from the church. They were pagan rituals, prayers to the water sprites, the deities of water and fertility. They were the direct opposite of the Christian divine service but were celebrated on the same dates as the Church Feasts: the winter games–during the winter solstice or on Christmas Eve, 'Green Games' at the beginning of June and the famous eve of St John Kupala, the night before June 24.

86, 87. *Архангел Михаил и Василий Великий. Изображения на куполе Большого сиона Софийского собора в Новгороде Чеканка по серебру. Середина XII в.*

86, 87. *The Archangel Michael and St Basil the Great. Representations on the cupola of the Grand Zion of St Sophia's in Novgorod Silver. Chasing. Mid-12th century*

жествам воды и плодородия, прямо противопоставлявшиеся христианскому богослужению и приуроченные к тем же самым срокам, что и церковные праздники: зимние святки во время солнцеворота — ночь под Рождество, «зеленые святки» в начале июня и ночь под Ивана-Купалу.

Мастера прикладного искусства были людьми своей эпохи. Вместе со всеми они участвовали в «неподобных русалиях» и, «возложиша на лица скураты» (надев маски), плясали, пели и играли на свирелях и гуслях во время традиционных игрищ.

Русалии, как комплекс новогодних, весенних и летних языческих действий, связанных с молениями о плодородии, оказались весьма живучими; с ними безуспешно боролись проповедники Киевской Руси, с ними продолжало бороться законодатель-

The craftsmen concerned with the applied arts were the true sons of their time. Together with others they took part in these 'accursed *rusalias*' and 'having laid various masks on their faces' they danced, sang and played reed flutes and *gusli* during the traditional revels.

As part of the New Year, Spring and Summer pagan rites, the *rusalias* connected with pagan prayers for fertility died hard. In vain did the preachers in Kievan Rus fight against them or Tsar Ivan the Terrible devise all kinds of laws–they survived among the Russian peasantry late into the nineteenth and even the early twentieth century.

In the tenth to thirteenth centuries the Russian people's pagan outlook manifested itself, as with other peoples, in glorifying the life-giving forces of

88–91. *Апостолы. Фигуры на дверцах Большого сиона Софийского собора в Новгороде*
Чеканка по серебру. Середина XII в.

88–91. *The Apostles. Figures on the doors of the Grand Zion of St Sophia's in Novgorod*
Silver. Chasing. Mid-12th century

ство Ивана Грозного, они оставались в быту русского крестьянства в XIX и даже в начале XX века.

Языческое мировоззрение у русских людей X—XIII веков проявлялось, как и у других народов, в прославлении жизненной силы природы и главным образом — растительного плодородия земли. Одним из самых распространенных символов жизни были только что выбившиеся из земли молодые весенние всходы, ростки растений. Недаром в такой земледельческой стране, как Русь, слово «жизнь» означало также засеянную ниву. К аграрной (в своей глубокой основе) символике относились еще три элемента: вода, дающая жизнь полям, небо, ниспосылающее эту драгоценную и жизненно необходимую воду в виде дождя, и солнце, дающее тепло. Вода изобра-

nature, and primarily of the fertility of the earth. One of the most widespread symbols of life were new green shoots in spring.

It is not by chance that the very word 'life' in such an agrarian country as Russia was also used to describe a sown field. Another three elements were added to this basic agrarian symbolism: water which gives life to fields, the sky which sends the precious and necessary water in the form of rain, and the sun which gives warmth. Water was usually depicted as wavy, flowing or intertwined lines, and the sky was represented by birds, the only living beings which rise high up to the clouds, to the sky. The birds serve as a intermediary between the rain-giving clouds and the vegetation on the ground. In medieval art the image of the bird and the symbolic Tree of Life are extremely

92. *Апостол Петр. Изображение на дверце Большого сиона Софийского собора в Новгороде (деталь увеличена)*
Чеканка по серебру. Середина XII в. →

93. *Малый сион Софийского собора в Новгороде*
Серебро. Чеканка. XII в.
Новгородский историко-архитектурный музей-заповедник →

92. *The Apostle Peter. Representation on the door of the Grand Zion of St Sophia's in Novgorod (detail, enlarged)*
Silver. Chasing. Mid-12th century →

93. *Minor Zion of St Sophia's in Novgorod*
Silver. Chasing. 12th century
Novgorod Museum of Architecture and Ancient Monument →

жалась в виде волнистых, струйчатых или переплетенных линий, а идея неба выражалась в образе птиц, единственных живых существ, поднимавшихся в небо, к облакам. Птицы являлись как бы посредниками между облаками, дающими дождь, и земной растительностью. В средневековом искусстве образ птицы и символического «древа жизни» является повсеместным от Ирана и Византии до Скандинавии и Ирландии. Языческое легко уживалось с христианским и порой прочно переплеталось, так как по существу между ними не было принципиальной разницы ни в объяснении тех сил, которые управляют миром, ни в представлениях о загробной жизни, ни в магических заклинаниях сил природы. Поэтому христианское искусство средневековья (в том числе и рус-

widespread, from Persia to Byzantium and from Scandinavia to Ireland. Here the pagan beliefs coincided with Christian ones and at times even firmly interlinked with them, because there was hardly any difference between them in principle or in the explanation they gave for the forces governing the world, the picture of life after death or the magic incantations to the forces of nature. That is why Christian art of the Middle Ages (the same applies to Russian art) contains both symbolism of vegetation as the manifestation of the life-giving force of the earth and the symbolism of water and the sky.

The idea of a connection between the sky and the earth in ancient art was expressed not only in the image of actual birds but also through various fabulous creatures, always winged: the winged beings guarding the heavenly

94. *Св. Меркурий. Изображение на окладе иконы Корсунской Богоматери из Софийского собора в Новгороде*
Серебро. Чеканка. XII в.
Новгородский историко-архитектурный музей-заповедник

95. *Св. Никита. Изображение на окладе иконы Корсунской Богоматери из Софийского собора в Новгороде*
Серебро. Чеканка. XII в.
Новгородский историко-архитектурный музей-заповедник

94. *St Mercury. Representation on the mounting of the Virgin of Kherson icon from St Sophia's in Novgorod*
Silver. Chasing. 12th century
Novgorod Museum of Architecture and Ancient Monument

95. *St Nicetas. Representation on the mounting of the Virgin of Kherson icon from St Sophia's in Novgorod*
Silver. Chasing. 12th century
Novgorod Museum of Architecture and Ancient Monument

ского) содержит и символику растительности как проявление рождающей силы земли, и символику воды и неба.

Идея посредничества между небом и землей в древнем искусстве выражалась не только в образе реальной птицы, но и в виде различных фантастических существ, обязательно крылатых: крылатые собаки — охранители небесного «дерева всех семян» (иранский фольклор), крылатые девушки, посылающие на засеянные поля небесную влагу (болгарские «вилы», русские русалки).

Само церковное декоративное искусство русского средневековья было пронизано древними языческими элементами. Языческие сюжеты *дополняли*, с точки зрения древнерусского человека, христианскую символику.

'tree of all seeds' (Persian folklore), the winged girls who send heavenly moisture to the sown fields (Bulgarian *vile* or *wilis*, and Russian water sprites or *rusalkas*).

In Russia church decorative art of the Middle Ages was itself imbued with ancient pagan symbolism. From the viewpoint of the ancient Russian, pagan themes **supplemented** Christian symbolism.

Such is the most magnificent decorative carving of the Cathedral of St George in Yuriev-Polskoi. The whole socle, from the foundation up, is covered with stylized vegetation seemingly growing from the ground like the real vegetation around the white stone building. This carving represents the lower tier of the visible world, the earth which gives life to growing things. Above come reliefs depicting man (the warrior kings, the

96. *Орнамент на окладе иконы Корсунской Богоматери из Софийского собора в Новгороде*
Серебро. Чеканка. XII в.
Новгородский историко-архитектурный музей-заповедник

97. *Св. Фекла. Изображение на окладе иконы Петра и Павла из Софийского собора в Новгороде*
Серебро. Чеканка. XII в.
Новгородский историко-архитектурный музей-заповедник

96. *Design on the mounting of the Virgin of Kherson icon from St Sophia's in Novgorod*
Silver. Chasing. 12th century
Novgorod Museum of Architecture and Ancient Monument

97. *St Thecla. Representation on the mounting of the SS Peter and Paul icon of St Sophia's in Novgorod*
Silver. Chasing. 12th century
Novgorod Museum of Architecture and Ancient Monument

Таков богатый декоративный убор Георгиевского собора в Юрьеве-Польском. Весь цоколь здания от самого основания покрыт стилизованными растениями, как бы вырастающими из земли вместе с настоящей зеленью, окружающей белокаменный храм. Это — нижний ярус видимого мира, Земля, рождающая растения. Выше идут рельефы с изображениями человека (святые воины, святые князья, пророчествующие люди), а верх собора увенчивается небожителями и золотым куполом — солнцем. В христианской символике Иисус Христос отождествлялся с солнцем. Купол по своему внешнему виду напоминал солнце, а внутри, в куполе, живописцы рисовали огромный лик Христа, обращенный на богомольцев с высоты, как бы с самого неба. Как видим, древние обра-

prince-saints and the prophets), while on the upper part of the cathedral are those who dwell in heaven, and the golden cupola–the sun. Jesus Christ was equated with the sun in Christian symbolism. The very dome of a church was round like the sun, and on its interior there was always painted an enormous face of Christ gazing down at the worshippers as if from heaven itself. As can be seen, the ancient images of the earth and the sun with which so many of the pagan customs are connected, became an organic part of the decoration of the thirteenth-century Christian church.

The earlier mentioned twelfth-century *Zion* from Novgorod which is in fact a generalized scale model of a church, contains pagan alongside Christian symbolism. The cupola of the *Zion* shows the image of *Jesus Christ*

98. *Орнамент на окладе иконы Богоматери Умиление*
Серебро. Чеканка, перегородчатая эмаль XIII—XIV вв.
Государственная Оружейная палата

99. *Крест-энколпион с изображениями Богоматери Оранты, Николы, апостолов Петра и Павла*
Медь. Гравировка, чернь. XIII в.
Государственный Русский музей

98. *Design on the mounting of the Virgin Eleusa icon*
Silver. Chasing, cloisonné enamel
13th–14th centuries
State Armoury

99. *Encolpion with representations of the Virgin Orans, St Nicholas and the Apostles Peter and Paul*
Brass. Engraving, niello. 13th century
State Russian Museum

зы земли и солнца, с которыми связано столько языческих обрядов, органически вошли в оформление христианского храма XIII века.

Упомянутый нами ранее новгородский сион XII века, являющийся обобщенной моделью церкви, содержит помимо определенной христианской символики и языческую. На куполе сиона изображен Иисус Христос в окружении святых и архангелов, внизу — двенадцать фигур апостолов. Обратим внимание на то, что колонны рядом с апостолами покрыты четким и ясным растительным узором. Сверху, с купола, спускается шесть вертикальных струйчатых линий, символизирующих потоки воды. В ряде мест на струях показаны точками как бы капли дождя. В среднем ярусе эта струйчатая плетенка шестью дугами опускается на опле-

surrounded by saints and archangels, and beneath, the twelve figures of the Apostles. The columns placed between the Apostles are covered with a clear-cut floral design which is very interesting. Six vertical wavy lines go down from the cupola; they symbolize flowing streams of water falling. Here and there raindrops are represented on the streams. In the central tier wavy intertwined lines descend in six curves onto the vegetation covering the columns of the lower, the 'earthy' layer, like rain falling onto the ground.

Though the theme in the ornamentation of the doors of the cathedral in Suzdal, referred to earlier, is derived from the Old and New Testaments, some pagan elements appear: the lower parts of the doors touching the ground are decorated with large representations of lions, winged griffons and, what is

100. *Ковчег-мощевик с изображением Христа Эммануила и предстоящих Флора и Лавра. Из ризницы Благовещенского собора Московского Кремля*
Серебро. Гравировка, чернь. XII в.
Государственная Оружейная палата

101. *Иконка с изображением Глеба (Давида), найденная на Таманском полуострове*
Камень-жировик. 1067—1068 гг.
Государственный Исторический музей

100. *Reliquary with representations of Christ Emmanuel and the interceding SS Florus and Laurus. From the Cathedral of the Annunciation in the Moscow Kremlin*
Silver. Engraving, niello. 12th century
State Armoury

101. *Small icon with image of St Gleb (David) found on the Taman Peninsula*
Steatite. 1067–1068
State History Museum

тающие колонны нижнего, «земного» яруса растения, как бы орошая их небесной влагой.

В рассмотренных выше вратах Суздальского собора с их библейской и евангельской тематикой тоже присутствует языческий элемент: нижние пластины врат, находящиеся у самой земли, украшены крупными изображениями львов, крылатых грифонов и, что особенно важно, крылатых собак в окружении растительных завитков.

Представление о крылатых собаках, охраняющих небесное «древо жизни» и земные посевы, восходит к очень глубокой древности (когда реальные собаки отгоняли животных от посевов); оно прочно вошло в ближневосточное и европейское искусство. Иранский Сэнмурв — это крылатый пес, защитник растений, посредник

more important, winged dogs surrounded by floral arabesques.

The idea of winged dogs guarding the Tree of Life in heaven and the sown fields on earth goes back to the earliest historical period (when real dogs were used to keep wild animals off the fields), it comprises a certain part of European and Middle Eastern art. The Persian *Simurgh* is a winged being, protector of vegetation, and an intermediary between heaven and earth. Its image often merges with that of the winged griffon of classical antiquity on European soil. The Russian *Simargl,* the mysterious deity of the pagan pantheon is almost the double of *Simurgh.* In the urban applied art of early Russia we come across numerous representations of this sacred winged dog guarding the Tree of Life. Evidently this image was understood in a much

102. *Кресты-энколпионы с изображениями мучеников Бориса и Глеба*
Медь. Литье, чеканка. XII в.
Государственный Русский музей

102. *Encolpions with images of the Martyrs Boris and Gleb*
Brass. Casting, chasing. 12th century
State Russian Museum

между небом и землей. На европейской почве его образ часто сливался с образом античного крылатого грифона. Русский Симаргл, загадочное божество языческого пантеона, оказался двойником Сэнмурва. В городском прикладном искусстве древней Руси на каждом шагу встречаются изображения священных крылатых собак, охраняющих «древо жизни». Очевидно, этот образ понимался более обобщенно, как оберег всего живого от всякого зла. Языческие божества на церковных вратах — достаточное доказательство силы древних представлений. Они по своему облику не походили ни на один персонаж христианской демонологии (чертей, бесов, сатану) и, может быть, поэтому смогли приютиться на вратах лишь у самой земли, где и положено быть божествам, охраняющим корни рас-

wider way as an apotropaion which guarded everything living from all kinds of evil. The pagan deities on the church doors are convincing proof of the great power of ancient ideas to survive. They are very unlike any of the personages of Christian demonology in appearance (hobgoblins, devils and Satan), and perhaps because of this they are always shown at the very bottom of the doors, by the very ground, where the gods guarding the roots of the vegetation should be. The same kind of winged dogs, also placed next the ground, can be seen on the famous bronze 'arch' found in the nineteenth century during excavations of a twelfth-century church in the small town of Vshchizh, the centre of a principality near Bryansk. It was found in the altar of the church and apparently was part of the altar canopy which was originally

тений. Таких же крылатых собак, распластавшихся у самой земли, мы видим на знаменитых бронзовых арках, найденных в прошлом столетии при раскопках церкви XII века в небольшом княжеском городе Вщиже близ Брянска. Находились они в алтарной части храма и, очевидно, составляли часть конструкции напрестольной сени, покрытой какой-либо тканью. Прообразом подобных сооружений над престолами служила библейская скиния — палатка для хранения ритуальных предметов. Некоторые исследователи считали эти арки изделием западноевропейских романских мастеров, но они не обратили внимания на русские надписи, сделанные на арках в процессе их изготовления. Из надписей мы узнаем, что арку сделал русский мастер Константин, а по палеографическим при-

covered with some cloth. The tabernacle of the Bible–a tent for the ritual objects–was the origin of similar constructions over the altar. Some art historians considered this 'arch' the work of the West-European Romanesque craftsmen. But they had failed to notice the Russian inscriptions put on it while it was being made. These insriptions inform us that the 'arch' was the work of the Russian master Constantine, and is dated to the latter half of the twelfth century by certain paleographical features.

The composition of the scenes depicted on it is very interesting. The main semicircular part of the arch is supported by two piers each with the head of a dragon. Where the heads of the dragons end there are winged dogs among intertwined roots of vegetation. Over the dogs, on both sides of the arch, is a

103–112. *Дробницы с изображением деисуса и святых, закрепленные на окладе XIX века с иконы Богоматери Знамения Золото. Перегородчатая эмаль. XII в. Новгородский историко-архитектурный музей-заповедник*

103–112. *Plaques with images of the Deesis and Saints, on the 19th-century mounting of the Virgin Blacherniotissa icon Gold. Cloisonné enamel. 12th century Novgorod Museum of Architecture and Ancient Monument*

знакам они датируются второй половиной XII века.

Интересна композиция изображений. Главная часть каждой арки представляет собой полукруг, поддерживаемый по сторонам двумя стойками с головами драконов внизу. В переплетении корней помещены крылатые псы. Над псами с каждой стороны — большой бронзовый круг и птица, клюющая растение. В вершине арки — такой же круг, но птица там изображена в полете, с распростертыми крыльями и поднятыми лапами. Создается впечатление, что мастер Константин, пользуясь привычными символами, изобразил здесь три царства мира: подземный мир, олицетворенный драконами, землю с ее Симарглами и птицами, клюющими растения, и небо с парящей в зените птицей. Три круга на изгибе

big bronze circle and a bird pecking a plant. On the top of the arch is a similar circle with a bird depicted in flight, with wings spread and legs tucked up. One gets the impression that the master Constantine manipulated well-known symbols and depicted the three kingdoms of the world: the underground kingdom personified by the dragons, the earth with *Simargls* and pecking birds, and heaven, with the bird hovering right overhead. The three circles on the arch represent the three positions of the sun so often encountered in folklore: morning, midday and evening. In the morning and evening the sun, as it rises or sets, is seen on the very ground, by the vegetation guarded by the winged dogs; at midday the sun is right overhead, where birds hover. There are also three small candlesticks

113. *Саккос московского митрополита Алексея. Сшит из шелковой византийской ткани в 1364 году*
Украшен золотыми дробницами с перегородчатой эмалью первой трети XIII века. Шитье жемчугом XIV века
Государственная Оружейная палата

114. *Оплечье саккоса митрополита Алексея*

113. *Sakkos of Alexius, Metropolitan of Moscow. Made from Byzantine silk cloth in 1364*
Decorated with gold and cloisonné enamel plaques of the first quarter, 13th century.
14th-century pearl embroidery
State Armoury

114. *Yoke of sakkos of the Metropolitan Alexius*

арки — три положения солнца, так часто встречаемые в фольклоре: «Утро, Полдень и Вечер». Утром и вечером восходящее и заходящее солнце находится у самой земли, у растений и охраняющих их крылатых собак; в полдень оно в зените, где парят птицы. На арке есть три маленьких подсвечника, и каждый из них находится около одного из кругов — «солнц». Три горящие свечи должны были как бы отмечать путь солнца по небосводу.

Когда византийский космограф Косма Индикоплов пытался объяснить своим читателям структуру мира, он прибег к сравнению и описал модель мира так: земля — это как бы доска шириною в один локоть, а длиною в два локтя; сверху она покрыта небом, как сводом, которым покрывают дорожные кибитки (то есть

attached to the arch, each is placed next to one of the 'suns'. The three burning candles were supposed to mark the sun's progress across the sky.

When the Byzantine cosmographer Cosmas Indicopleustes attempted to explain to his readers the structure of the world, he described it in this way: the earth is a board as it were, one *cubit* wide and two *cubits* long; it is covered by the sky which is like an arch or the hood over a cart (in other word, by barrel or tunnel-vaulting), but there is no 'sky' at the ends. Cosmas Indicopleustes compared his model of the world to the Biblical tabernacle. But to return to our arch at the Vshchizh church. Constantine most probably reconstructed the model as described by Cosmas Indicopleustes. Both arches representing the sky–the bronze arch at Vshchizh and the Cosmas model are

115, 116. *Дробницы в форме квадрифолия на саккосе митрополита Алексея Золото. Перегородчатая эмаль Первая треть XIII в.*

115, 116. *Quatrefoil plaques on the sakkos of the Metropolitan Alexius Gold. Cloisonné enamel. First quarter 13th century*

полуцилиндрическим, коробовым), но на торцовых сторонах «неба» нет. Косма сравнил свою модель мира со «скинией завета». Если мы снова вернемся к нашим вщижским аркам, то увидим, что мастер Константин, по всей вероятности, воспроизводил именно такую модель, какую описал Индикоплов. Поперечник бронзового небосвода вщижских арок, как и поперечник модели Космы, равен точно одному локтю, две арки закрывали торцовые стороны «модели мира», а сам «небесный свод» мог быть образован тканью, натянутой на внешние полукружия обеих арок. Вся символика арок говорит о том, что художник стремился подчеркнуть идею небосвода, по которому движется солнце, то есть сознательно воспроизводил схему «Христианской топографии» Космы Индико-

exactly one *cubit* across the base; the two arches over the open ends of the 'model of the world' and the 'heavenly tent' itself can be formed by cloth thrown over the external semi-circles of both arches.
The symbolism of the arches testifies to the fact that the artist tried to stress the idea of heaven across which the sun moves; in other words, he consciously reproduced the conception of *The Christian Topography of Cosmas Indicopleustes,* but he could not apparently do without the pagan images of *Simargls* symbolizing the earth.
The examples quoted should be sufficient to demonstrate that early pagan images survived and penetrated even the sphere of purely ecclesiastical art.
Ancient pagan symbolism closely connected with the magic art of fertility

117. *Кайма на подоле саккоса митрополита Алексея. Деталь*

117. *Border on the hem of the sakkos of the Metropolitan Alexius. Detail*

плова, но при этом не обошелся без языческих образов Симарглов, обозначавших землю.

Приведенных примеров достаточно для того, чтобы убедиться в сильной живучести древних языческих образов, проникавших даже в сферу чисто церковного искусства.

Древняя языческая символика, связанная с магией плодородия, особенно ярко выступает в ритуальных комплексах, относящихся к свадебному обряду, и, в первую очередь, — в узорах на колтах и широких браслетах, представленных в большинстве русских кладов. Все вещи из этих кладов — изделия городских и придворных мастеров. Ограничим себя только одной хронологической группой кладов, зарытых в 1170—1240 годах. Они синхронны «Слову о полку Игореве» с его изобилием язы-

is especially apparent in marriage rites, and first of all, in the designs of the *kolt* pendants and broad bracelets found in the majority of Russian treasure troves. These objects are the handiwork of craftsmen who lived in and around the cities, or worked at courts of princes. Here only chronological group of treasures buried in the years between 1170 and 1240 will be dealt with.

They are of the time of *The Lay of Igor's Host* with its profusion of pagan reminiscences, and of the stone carving on churches dated 1160–1230, as well as of the ecclesiastical teachings directed against paganism and revealing to us the world outlook not only of the Russian village but also of the urban and boyar circles.

Altogether 50 themes of various kinds can be found on the *kolt* pendants and

118. *Епитрахиль от облачения московского митрополита Алексея*
Шитье жемчугом. Середина XIV в.
Золотые дробницы с перегородчатой эмалью XIII в.
Государственная Оружейная палата

119. *Поруч Варлаама Хутынского из новгородского Хутынского монастыря*
Шитье пряденой золотной нитью и мелким жемчугом. XII в.
Новгородский историко-архитектурный музей-заповедник

118. *Epitrachelion of the vestments of Alexius, Metropolitan of Moscow*
Pearl embroidery. Mid-14th century
Gold plaques with cloisonné enamel
13th century
State Armoury

119. *Maniple of Varlaam of Khutyn, from the Khutyn Monastery in Novgorod*
Spun gold and river pearl embroidery
12th century
Novgorod Museum of Architecture and Ancient Monument

ческих реминисценций, резному орнаменту белокаменной архитектуры 1160—1230 годов и ряду церковных поучений против язычества, раскрывающих перед нами мировоззрение не только русской деревни, но и городских и боярских кругов.

На колтах и браслетах можно насчитать около 50 различных сюжетов; иногда встречаются устойчивые композиции однотипных изображений. В наиболее поздних вещах XIII века традиционные композиции изображений нарушаются, смысл их, очевидно, утрачивается.

Многие образы, как, например, «древо жизни», сирины, кентавры, львы, грифоны и другие, широко распространенные в средние века, должны рассматриваться подобно «бродячим сюжетам» фольклора на очень широком фоне искусства Ста-

bracelets; at times one encounters stable compositions of several representations of the same type. On objects dating to the late thirteenth century these traditional compositions lose their meaning.

Many images, such as the Tree of Life, the sirens, the centaurs, lions, griffons and others very popular in the Middle Ages, should be looked upon as 'wandering themes' of folklore against the general background of art in the Old World. But here we are interested primarily in the Russian interpretation of these themes in the twelfth century and in what the reason was for their borrowing.

Most important is the questing of the significance of Russian applied art in the twelfth century—whether it continued to fulfil the magic-protective function of the earliest art of primitive

120. *Арка («вщижская») от напрестольной сени из княжеского замка Вщиж близ Брянска*
Работа мастера Константина
Медь. Литье. Вторая половина XII в.
Государственный Исторический музей

121. *«Вщижская» арка. Деталь*

120. *Arch ('Vshchizh arch') of the altar canopy from Vshchizh Castle near Bryansk. Work of Master Constantine*
Brass. Casting. Second half 12th century
State History Museum

121. *Vshchizh arch. Detail*

рого Света. Нас сейчас интересуют русское осмысление этих сюжетов в XII веке и причины их заимствования.

Важнее всего получить ответ на вопрос о содержании русского прикладного искусства XII века: продолжает ли оно выполнять магически-оберегательную функцию первобытного искусства, или оно уже полностью от нее освободилось и несет только лишь эстетическую нагрузку? Общий историко-культурный фон свидетельствует о живучести языческого мировоззрения не только в крестьянской, но и в городской и даже княжеско-боярской среде.

На колтах и наручах изображено очень много разнообразных символов плодородия в виде «древа жизни», молодых ростков, кринов, семян и прорастающих корней. Все

society, or whether it freed itself completely of this function and was of a purely aesthetic character. The general historical and cultural background indicates that the pagan outlook continued to thrive not only among the peasants but also among townfolk and even among princes and boyars.

The *kolt* pendants and wrist bands bear a variety of fertility symbols such as the Tree of Life, young shoots, lilies, seeds and burgeoning roots. All these express the idea of growth, of life. Some elements are identical with various details of architectural ornamentation, indicating similar artistic tastes among the gold and silversmiths, and the stone carvers who decorated the churches.

The presence of Christian saints instead of the more archaic pagan symbols (hinged diadems, *monisto* necklaces, and *kolts*) on objects dating to the late

122, 123. *«Вщижская» арка. Детали*

122, 123. *Vshchizh arch. Details*

они выражают идею роста, идею Жизни. Некоторые элементы полностью, до мелочей совпадают с деталями архитектурной орнаментики, что говорит о единстве художественных вкусов мастеров золотых и серебряных дел и резчиков по камню, украшавших церкви.

Ответом на поставленный выше вопрос — о степени сохранности заклинательно-оберегательного смысла сюжетов русского узорочья — может служить наличие на более поздних вещах XIII века изображений христианских святых, заменивших собой архаичные языческие символы (диадемы — «венцы городчатые», монисты, колты). Иногда можно предполагать изображения патрональных святых (Орина, Варвара), но чаще всего изображался весь деисусный чин, то есть самые главные божества

thirteenth century indicates the degree to which the incantatory-protective meaning of the various themes of Russian *uzorochye* survived. At times we see representations of the patron saints (*Irene* and *Barbara*) but more often the *Deesis Range* as a whole, i.e. the chief deities of the Christian pantheon linked with the medieval popular interpretation of the sun, the life-giving earth, the water, the sky and the people *(Christ, the Virgin, St John the Baptist,* the *Archangels* and the *Apostles*). The idea of the *Deesis* is the idea of intercession on behalf of the people. The appearance of this all-embracing Christian complex in the place earlier occupied by the Tree of Life or some fabulous creatures testifies to the fact that the new and Christian symbols that replaced the old ones (and there is no doubt of their apotropaic

124. *«Черниговская гривна». Змеевик князя Владимира Мономаха, найденный под Черниговом*
Золото. Литье. Конец XI в.
Государственный Русский музей

124. *'Chernigov Grivna'. Serpentine of Prince Vladimir Monomachus, found near Chernigov*
Gold. Casting. Late 11th century
State Russian Museum

христианского пантеона, связываемые в средневековой народной интерпретации с солнцем, землей-роженицей, водой, небом и людьми (Христос, Богородица, Предтеча, архангелы и апостолы). Идея деисуса — идея заступничества за людей. Появление этого всеобъемлющего христианского комплекса на тех местах, где ранее находилось «древо жизни» или фантастические существа, свидетельствует о том, что старые символы, замененные или оттесненные новыми, христианскими (в апотропеическом характере которых сомневаться нельзя), тоже имели оберегающий или заклинательный смысл. Иногда языческое уживалось рядом с христианским на одном предмете. Такова киевская золотая диадема, где рядом с апостолами изображены девичьи головы и «древо жизни».

character) were also looked upon as protective images or charms.

At times pagan and Christian subjects rubbed shoulders on the same object. Such, for example, is the gold diadem from Kiev which displays female heads and the Tree of Life alongside the Apostles.

In royal golden *kolts* we see the Christian representation of *SS Boris and Gleb*. These two are always accompanied by the ideogram of the growing shoot (lily). The cloaks Boris and Gleb wear are always covered with a pattern of heart-shaped ideograms of growing shoots and round dots (seeds); the saints almost invariably have green haloes.

Excavations carried out in Kiev, Chernigov, Novgorod, Volyn and Suzdal show that in the minds of the people of the twelfth century the names of the

125. *Подвеска в форме «сионца» (с изображением евангелистов) к ожерелью из клада, найденного в 1887 году в Киеве на территории Михайловского Златоверхого монастыря*
Золото. Скань, зернь, перегородчатая эмаль
XII в.
Государственный Русский музей

126. *Медальон в ожерелье из клада, найденного в 1851 году у деревни Исады около Суздаля*
Серебро. Гравировка, чернь, скань, зернь
XII—XIII вв.
Государственный Исторический музей

125. *Pendants in the form of a Zion with images of the Evangelists of the necklace from the treasure found in Kiev on the site of the Mikhailovsky ('Golden Tops') Monastery in 1887*
Gold. Filigree, granulation, cloisonné enamel
12th century
State Russian Museum

126. *Medallion of the necklace from the treasure found outside the village of Isady near Suzdal in 1851*
Silver. Engraving, niello, filigree, granulation
12th–13th centuries
State History Museum

На золотых княжеских колтах мы видим христианский сюжет — изображения Бориса и Глеба. Им непременно сопутствует идеограмма ростка (крина) — всходов молодого растения. Плащи Бориса и Глеба всегда покрыты сердцевидными идеограммами ростков и круглыми точками (семенами?), нимбы святых почти во всех случаях зеленые.
Материалы раскопок в Киеве, Чернигове, Новгороде, Волыни и Суздале доказывают, что в сознании людей XII века имена первых русских святых обязательно связывались с идеей плодородия и молодых весенних всходов. В нашем распоряжении есть много подтверждений аграрно-магического характера культа Бориса и Глеба («Борис и Глеб сеют хлеб», «Борис-Хлебник», легенда о том, как Борис и Глеб запрягли злого змия

first Russian saints were always connected with the idea of fertility and young growing shoots in spring. We have many proofs of the agrarian-magic character of the cult of these two saints ('Boris and Gleb again timely sow the grain', 'Boris the Grain-grower', and the legend of Boris and Gleb harnessing the evil serpent to a plough and ploughing the Serpent Hills). The church feast of *SS Boris and Gleb,* which was originally celebrated on July 24, was in 1072 transferred to May 2. The date does not coincide either with the date of Boris's death (July 24), or with that of Gleb's (September 5).
Western Slavs celebrated an important pagan feast early in the month of May in honour of the Goddess Zhiva. At the latitude of Kiev this was when the first shoots of the spring sowing appeared. An agricultural and magic calendar

127 | 128 / 129 | 130 | 131

127. *Цепь с подвесками-амулетами из кургана у села Елисеевичи, Духовщинского уезда, Смоленской губернии*
Медь. XI—XII вв.
Государственный Исторический музей

127. *Chain with pendant amulets from a barrow outside the village of Yeliseyevichi, Dukhovshchina District, Smolensk Province*
Brass. 11th–12th centuries
State History Museum

в плуг и пропахали на нем Змиевы валы). Праздник Бориса и Глеба, установленный первоначально 24 июля, был перенесен в 1072 году на 2 мая. Этот день не совпадает ни со днем смерти Бориса (24 июля), ни со днем смерти Глеба (5 сентября).

У западных славян существовал большой языческий праздник в честь богини Живы в первых числах мая. В это время появляются (на широте Киева) первые всходы яровых хлебов. Аграрно-магический календарь IV века н. э. из земли полян начинает отсчет жизни яровых хлебов именно со 2 мая. Можно думать, что установленный в 1072 году новый день борисоглебского праздника — 2 мая (торжественно подтвержденный и в 1115 году) — должен был заслонить собою древний языческий майский праздник. Это особенно естественно

of the fourth century A.D., from the land of the Polyanye dates the beginning of life in spring-sown grain from May 2. It may be supposed that the May 2 feast of *SS Boris and Gleb*, established in 1072 (and reaffirmed at a ceremony in 1115) was designed to oust the earlier pagan May feast. This was most likely in the circumstances that obtained in 1072 which had been preceded by many years of famine, drought and poor crops, which led the people to abandon Christianity and return to paganism ('The Word about the Sun and Divine Retribution . . .'). After the cult of Boris and Gleb had merged with the pagan feast of the spring growth, it absorbed certain features of the ancient agrarian cult, proof of which we see on every twelfth-century object which was decorated with representations of these saints.

128. *Подвсска из кургана у села Бочарово, Юхновского уезда, Смоленской губернии*
Медь. Литье. XI—XII вв.
Государственный Исторический музей

129. *Подвеска из кургана у деревни Эсмоны, Борисовского уезда, Минской губернии*
Медь. Литье. XI—XII вв.
Государственный Исторический музей

130, 131. *Цепь с подвесками-амулетами из кургана у деревни Александровка, Подольского уезда, Московской губернии*
Медь. Литье. XI—XII вв.
Государственный Исторический музей

128. *Pendant from a barrow outside the village of Bocharovo, Yukhnov District, Smolensk Province*
Brass. Casting. 11th–12th centuries
State History Museum

129. *Pendant from a barrow outside the village of Esmona, Borisov District, Minsk Province*
Brass. Casting. 11th–12th centuries
State History Museum

130, 131. *Chain with pendant amulets from a barrow outside the village of Alexandrovka, Podolsk District, Moscow Province*
Brass. Casting. 11th–12th centuries
State History Museum

в условиях 1072 года, которому предшествовало много лет голода, засухи, неурожаев, приведших к отходу от христианства и возврату к язычеству («Слово о ведре и казнях божьих . . .»). Слившись с языческим праздником первых всходов, культ Бориса и Глеба должен был впитать в себя некоторые черты древнего аграрного культа, доказательство чему мы видим на каждом предмете XII века, украшенном изображениями этих святых.

На золотых колтах кроме фигур Бориса и Глеба имеются следующие изображения: «древо жизни» и птица, древо и две птицы, женская голова в кокошнике с ряснами и колтами в окружении растительных завитков, две птице-девы (сирины). Золотые уборы, в состав которых входили колты, по всей вероятности, являлись

The design of the gold *kolts* included, besides the figures of Boris and Gleb, the following subjects: the Tree of Life and a bird, a tree flanked by two birds, a woman's head in a headdress with *ryasnos* and *kolts* surrounded by floral arabesques, and two bird-maidens (sirens). The gold headdress of which the *kolts* were a part was most probably part of wedding raiment and for this reason the ornamentation had to reflect the idea of fertility first of all. The Tree of Life, the birds and the image of a woman (derived from the ancient cult of the Goddess Zhiva or Makosha) supported the idea. The cult of the forces of fertility expressed through the representations of the growing shoot—a lily—is shown in the ornamental pattern surrounding the prophetic birds: their feathers are covered with symbols of seeds and shoots with a bud

132	133	134	135	136
			137	138

132. *Подвески-амулеты из кургана у села Бочарово, Юхновского уезда, Смоленской губернии*
Медь. Литье. XI—XII вв.
Государственный Исторический музей

133–135. *Подвески-амулеты из радимического кургана у села Коханы, Ельнинского уезда, Смоленской губернии*
Медь. Литье. XI—XII вв.
Государственный Исторический музей

132. *Pendant amulets from a barrow outside the village of Bocharovo, Yukhnov District, Smolensk Province*
Brass. Casting. 11th–12th centuries
State History Museum

133–135. *Pendant amulets from a Radimichi barrow outside the village of Kokhany, Yelnya District, Smolensk Province*
Brass. Casting. 11th–12th centuries
State History Museum

свадебными, поэтому их орнаментика должна была отражать прежде всего идею плодородия. Этому вполне отвечали и «древо жизни», и птицы, и изображение женщины (может быть, отдаленные отголоски культа женского божества Живы или Макоши?). Культ плодоносящих сил, выраженный посредством схемы ростка, крина, проявился в деталях орнамента, украшающего изображения вещих птиц. Их оперение покрыто такими же символами семян и ростков с почкой, как и плащи Бориса и Глеба.

Одной из наиболее частых на киевских золотых колтах является композиция из двух сиринов с идеограммой ростка в центре. Птице-девы изображены обычно в шапочках, головы их обведены нимбом. На крыльях, а иногда и на оперении

as in the pattern on the cloaks of SS Boris and Gleb.

One of the most frequently found designs on the gold *kolts* from Kiev is that of two sirens with an ideogram of a growing shoot between them. These bird-maidens are usually represented wearing small skull caps and around their heads a halo. The wings and sometimes the rest of the feathers show the same ideograms of the growing shoot with a bud and representations of seeds. The breast is always ornamented with a number of blue wavy lines. The connection of these sirens with the symbolism of water and fertility is beyond doubt. The presence of the wings connects these bird-maidens with heaven. This image can be deciphered by identification with the medieval 'sirens otherwise known as *vile*'. The *vile* or *wilis* are creatures

136, 137. *Подвески в виде гребней из кургана у села Влазовичи, Суражского уезда, Черниговской губернии*
Медь. Литье. XI—XII вв.
Государственный Исторический музей

138. *Подвеска в виде гребня из кургана у села Бочарова, Юхновского уезда, Смоленской губернии*
Медь. Литье. XI—XII вв.
Государственный Исторический музей

136, 137. *Pendants in the form of combs from a barrow by the village of Vlazovichi, Surazh District, Chernigov Province*
Brass. Casting. 11th–12th centuries
State History Museum

138. *Pendant in the form of a comb from a barrow by the village of Bocharovo, Yukhnov District, Smolensk Province*
Brass. Casting. 11th–12th centuries
State History Museum

видны те же идеограммы ростка с почкой и семена. Грудь всегда орнаментирована несколькими волнистыми полосами синего цвета. Связь образов сиринов с символикой воды и плодородия не подлежит сомнению. Крылатость связывает этих птице-дев с небом. Расшифровке этого образа может помочь средневековое отождествление: «сирины — рекше вилы», а вилы хорошо известны южнославянской этнографии как русалки, охраняющие нивы и связанные с влагой, росой.

Болгарские этнографы так описывают народные представления о вилах-русалках: «Русалки суть женские существа — очень красивые девушки с длинными косами и крыльями». Они появляются весною, когда засеянным полям необходимы дожди. Русалки выливают росу из рогов, и

in southern Slav ethnography. They are the water sprites guarding the fields and connected with moisture and dew.

Bulgarian ethnographers describe the popular idea of the *vile* as water sprites in the following way: 'Water sprites are female beings, usually very beautiful maidens with long plaits and wings'. They appear in spring when the ploughed fields need rain. The sprites pour dew from horns and ears begin to form on the grain. In the month of June–'the month of water sprites'–these creatures help at the wedding ceremony of the polination of the flowering grain, without which there can be no harvest.

The gold *kolts* from Kiev are like an illustration to the ethnographical record: in the centre of the kolt is a stylized growing shoot flanked by two girls with

139	140 / 141	142

139, 140. *Цепь с подвесками-амулетами из кургана у села Бисерово, Московской губернии*
Медь. Литье. XI—XII вв.
Государственный Исторический музей

139, 140. *Chain with pendant amulets from a barrow outside the village of Biserovo, Moscow Province*
Brass. Casting. 11th–12th centuries
State History Museum

хлеба начинают колоситься. В июне, «русальском месяце», русалки совершают брачный обряд опыления цветущих хлебных колосьев.

Рассматривая киевские золотые колты, мы как бы видим иллюстрацию к этим этнографическим записям: в центре колта помещен стилизованный росток, а по сторонам его — две девушки с крыльями и птичьим туловищем. Христианский нимб вокруг девичьих ликов русалок узаконивал их в системе христианского апокрифического фольклора в качестве «райских птиц», но архаичная сущность крылатых птице-дев, образ которых восходит к неолиту, проступает достаточно явно. Не забыты киевскими художниками и рога, из которых крылатые русалки орошают поля, — они изображены на оборотной стороне колтов.

wings and birds' bodies. The Christian haloes around the heads of the sprites establish them within the system of Christian apocryphal folklore as 'Birds of Paradise' but the archaic idea of the winged bird-maidens, the origins of which go back to the neolithic era, is quite apparent. Nor did the Kievan artists forget the horns with which the winged sprites watered the fields–they are depicted on the rcverse of the *kolts.*

The reverse of the *kolts* displays the same composition in almost every instance: the centre is decorated with four growing shoots pointed towards different sides. This is a very ancient motif connected with the idea of ubiquity. The symbol of life, the growing shoot, faces 'the four sides of the world'. Below, in a small triangle, is placed a seed. The central four-part

141. *Подвеска в виде рога из кургана у деревни Ворогово, Юрьевского уезда, Владимирской губернии*
Медь. Литье. XI—XII вв.
Государственный Исторический музей

142. *Маски скоморохов для русальных празднеств. Новгород*
Кожа. XIII в.
Государственный Исторический музей

141. *Pendant in the form of a horn from a barrow outside the village of Vorogovo, Yuriev District, Vladimir Province*
Brass. Casting. 11th–12th centuries
State History Museum

142. *Jesters' masks for rusalia festivities. Novgorod*
Leather. 13th century
State History Museum

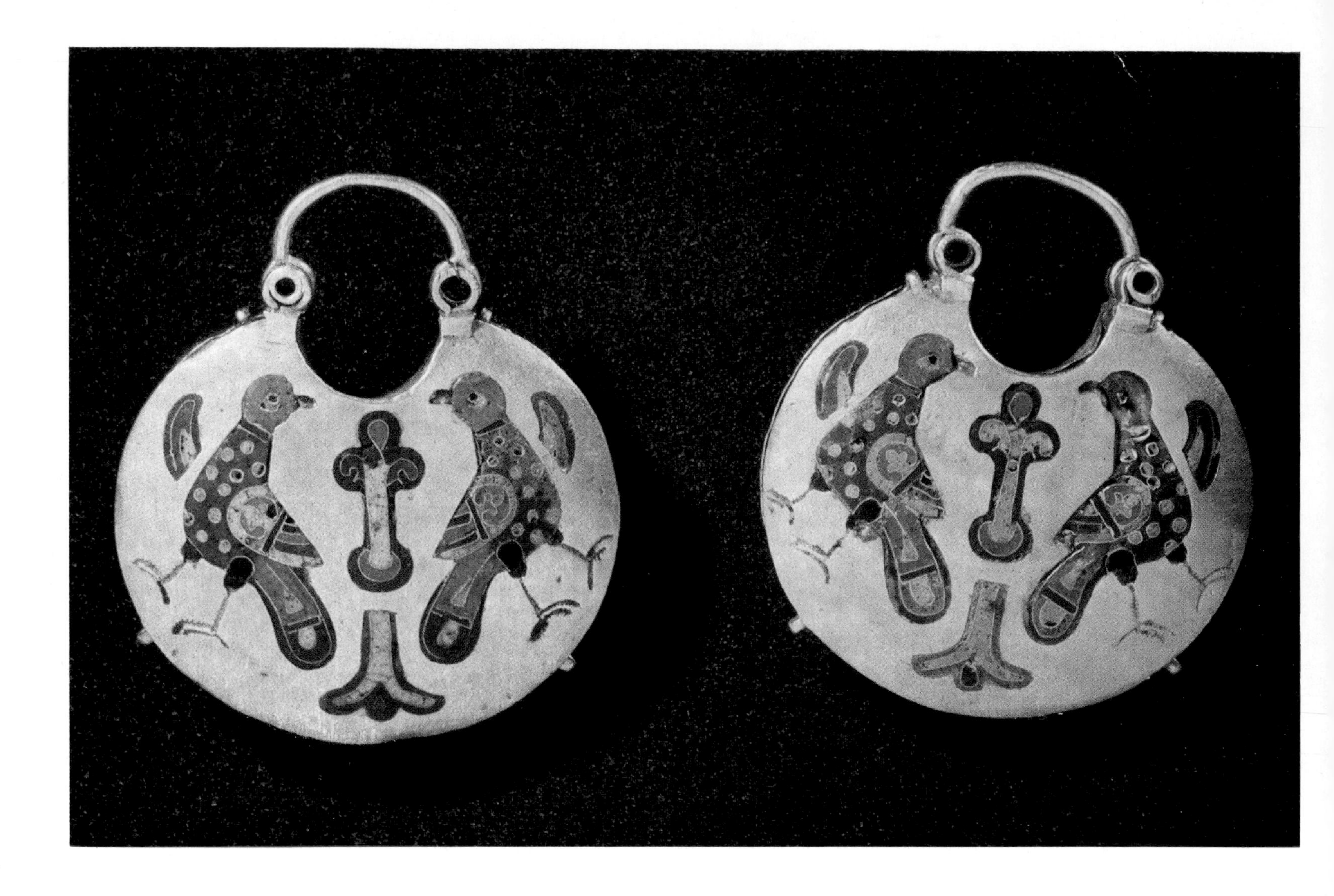

Почти всегда оборотную сторону золотых колтов украшает одна и та же композиция: в центре — четыре ростка, обращенные в разные стороны. Это очень древний мотив, связанный с представлением о повсеместности. Символ жизни — росток — обращен «на все четыре стороны». Внизу, в маленьком треугольнике — семя. По бокам центральной четырехчастной розетки — узкие треугольники, напоминающие турьи рога, известные нам по княжеским курганам X века. На некоторых колтах рогообразные треугольники имеют даже схематически изображенное устье рога.

Орнамент на «рогах» или городчатый (как на оковке турьего рога из Гнездова), или в виде вьющегося растения (как на колтах из Черной Могилы). Вполне возможно, что здесь

rosette is flanked by two narrow triangles resembling the horns of the aurochs, known to us from tenth-century royal barrows. Some of the *kolts* are decorated with horn-like triangles with a schematic indication of the opening. The ornament on the horns is either in the form of scallops (the mounting of the Chernigov aurochs horns) or in the form of a convoluting plant (as on the *kolts* from the Black Barrow). It is quite possible that what is represented here are the *rhytons*–the horns of the aurochs used by many peoples in the wedding ceremony. The convoluting plant, apparently hops, is a necessary constituent of mead which was drunk from the horns. With Slavs, too, hops are connected with the wedding ceremony.

The whole composition on the reverse of the gold *kolts* can be read the follow-

143. *Колты с изображениями птиц по сторонам «древа жизни»*
Золото. Перегородчатая эмаль. XII в.
Киевский государственный исторический музей

143. *Kolt pendants with representations of birds flanking the Tree of Life*
Gold. Cloisonné enamel. 12th century
Kiev State History Museum

действительно изображались турьи рога-ритоны, так широко применявшиеся в свадебной обрядности ряда народов. Вьющееся растение — это, очевидно, хмель, необходимый для изготовления меда, наполнявшего рога. Хмель также неразрывно связан со славянской свадебной обрядностью.

Всю композицию оборотной стороны золотых колтов можно прочитать так: «Пусть живительная сила распространится над этим семенем во все четыре стороны! Два рога с ритуальным хмельным медом подняты за здоровье обоих молодых».

Орнаментика серебряных колтов проще. Здесь нет ни турьих рогов, ни четырехчастной композиции, ни русалок-вил, ни девушек в кокошниках. На серебряных колтах обычно помещены «древо жизни» (иногда сильно

ing way: 'Let the life-giving force spread over this seed in all four directions! The two horns filled to the brim with heady ritual mead are raised to the health of the married couple'.

The ornamentation of the silver *kolts* is somewhat simpler. Here are no aurochs horns, no four-part composition, no water sprites, no girls in *kokoshnik* headdresses. The silver *kolts* are usually decorated with the Tree of Life (sometimes highly stylized) and a winged fabulous creature. More often both of these are repeated on the two sides of the *kolt*. The winged creature was depicted either with a bird's head, two paws and stylized wings; or with a dog's head, two paws and wings; in some cases it was shown as an eagle-headed griffon, and only at times as a four-legged winged animal with the face of a dog. It may be

144. *Височное кольцо вятичей из Белевского клада в Тульской губернии (с языческой композицией из двух коней и дерева)*
Деталь (сильно увеличена)
Серебро. Литье. Начало XIII в.
Государственный Исторический музей

144. *Vyatichi temple ring with a pagan composition of two horses and a tree. From the Belev treasure in Tula Province. Detail (greatly enlarged)*
Silver. Casting. Early 13th century
State History Museum

стилизованное) и крылатое чудище. Чаще всего обе темы даны одновременно на обеих сторонах колта. Чудище изображалось по-разному: либо с птичьей головой, двумя лапами и стилизованными крыльями, либо с собачьей головой, двумя лапами и крыльями (как иранский Сэнмурв), либо в виде орлиноголового грифона, а иногда — в виде четвероногого крылатого зверя с собачьей мордой. Можно думать, что все эти разновидности крылатого чудища олицетворяли славянского Симаргла, близкого к Сэнмурву и грифону, то есть божества, безусловно благожелательного по отношению к человеку, охраняющего семена, посевы, растения и их корни.
Эти два орнаментальных сюжета выражали древнюю веру в борьбу добра и зла: «древо жизни» олице-

assumed that these variants of the fabulous winged creature personified the Slav God *Simargl*, who was very close to *Simurgh* and the griffon, in other words, a deity entirely favourably inclined towards man, who guarded the seeds, the fields, the vegetation and its roots.
These two ornamental themes expressed the ancient belief in the struggle between good and evil. The Tree of Life embodied good and peaceful growth, while the fabulous creature *Simargl* fought evil on earth and in heaven and protected the woman who wore the *kolts*. The symbolism of good and evil, or rather the struggle against evil, runs through the whole of applied art of the time.
The broad, two-section bracelets deal with the special world of images. Here we see the centaurs, the lions, sun

145 ,146. *Браслет с изображением русального празднества, найденный в Тверском кладе 1906 года. Створка и деталь (увеличено) Серебро. Гравировка, чернь. XII в. Государственный Русский музей*

145, 146. *Bracelet with a representation of rusalia revelries, part of the Tver treasure of 1906. Section and detail (enlarged) Silver. Engraving, niello. 12th century State Russian Museum*

творяло добро, мирное произрастание, а чудище, Симаргл, боролось со злом на земле и на небе, как бы защищая владелицу колта. Символика добра и зла (точнее, борьба с ним) наполняет все прикладное искусство. Совершенно особый мир образов раскрывается нам на широких двустворчатых браслетах. Здесь появляются кентавры, львы, солярные знаки, пьющие и пляшущие люди, гусляры и домрачеи. Есть здесь и изображения сиринов-вил, Симаргла, птиц, «древа жизни», но никогда на браслетах не встречаются фигуры христианских святых.

Возможно, что полное отсутствие христианских изображений объясняется самим назначением браслетов. Женщины поддерживали браслетами длинные рукава праздничной одежды, надеваемой для плясок. Пе-

symbols, people drinking and dancing, *gusli* and *domra* players. Though here, too, one encounters various representations of the siren-*vila*, the *Simargl*, the birds and the Tree of Life, nowhere does one see the images of Christian saints.

It is possible that the absence of Christian images can be explained by the purpose of the bracelets. The women wore them to hold up the long sleeves of their festive gowns. Before dancing the woman was supposed to take off the bracelets and allow the long sleeves to fall freely. The dances and games performed especially during the *rusalias* were apparently of ritual and incantatory character judging by the persistence with which they were condemned by the church. The incantatory character of the dances during which women wore special long-sleeved

147, 148. *Створка браслета с изображением «древа жизни» (в виде хмеля), кентаврообразного существа, зверя с «процветшим» хвостом. Деталь створки сильно увеличена*
Серебро. Гравировка, чернь. XII в.
Государственный Русский музей

147, 148. *Section of a bracelet with a representation of the Tree of Life (in the form of a hop bine), a centaur-like creature, and a beast with a 'flowering' tail. Detail of section (greatly enlarged)*
Silver. Engraving, niello. 12th century
State Russian Museum

ред пляской женщина должна была снять браслеты и освободить длинные рукава. Пляски, игрища, особенно в дни русалий, очевидно, носили ритуальный заклинательный характер, судя по тому, что они подвергались исступленному преследованию со стороны церкви. Заклинательный характер пляски в одежде с длинными рукавами (когда женщина как бы обретала крылья, подобно виле) отразился в русской сказке о царевне-лягушке, где рассказывается о том, как после взмахов рукавами появлялись леса, сады, озера, лебеди. Предназначение браслетов для «бесовских игрищ» определяло специфическую тематику их орнаментики и не позволяло мастерам-ювелирам помещать на них изображения каких бы то ни было христианских святых.

Большинство широких браслетов раз-

dresses (making them seem to have wings like the *vile*) is reflected in the Russian folk tale about the Frog Princess. One part of the story tells how each swing of the sleeve produced forests, orchards, lakes and swans. The use of the bracelets during these 'Satanic games' determined their specific ornamentation and accounted for the absence of any Christian saints from their designs.

Most of the broad bracelets are divided horizontally into two zones with sharply differing patterns. Usually the upper zone had several arches framing engraved representations of birds, animals, people and trees. The arches at times resemble the roof vaults of churches, and at others real arcades with columns. Evidently they expressed the idea of the earth on which live people and animals and from which

149, 150. *Изображения плясуньи и гусляра на створках браслета*
Серебро. Гравировка, чернь. XII в.
Киевский государственный исторический музей

149, 150. *Representations of a girl dancer and gusli player on sections of the bracelet*
Silver. Engraving, niello. 12th century
Kiev State History Museum

делено по горизонтали на две зоны, резко различающиеся по системе орнаментации. Чаще всего верхнюю зону художники расчленяли несколькими арочками, внутри которых гравировали изображения птиц, зверей, людей, деревьев. Арки иногда напоминают церковные закомары, а иногда настоящие аркады с колоннами. Видимо, они выражали понятие земли, по которой ходят люди и звери, из которой вырастают растения. Тогда нижнюю зону естественно толковать как толщу самой земли или как подземный мир. Арки могли выражать и понятие неба, небосвода, тем более что иногда они покрыты точками, быть может, символизирующими дождь или звезды. Иногда над арками помещалась маска (солнце?). Однако последние два предположения кажутся не очень убедительными.

grow all kinds of vegetation. If that is so, then the lower zone obviously can be interpreted as the crust of the earth or as the subterranean world. The arches could represent the sky, especially, as at times they are covered with dots which in their turn symbolize rain or the stars. Sometimes the craftsmen placed a human mask (the sun?) over the arches. However, the last two suppositions are not altogether convincing. The two predominant motifs of the lower zone were roots spreading sideways with shoots growing from them, and a regular intertwining pattern. At times the intertwining in the lower tier is combined with a row of female figures holding vessels in the upper tier. This means the intertwining pattern can be interpreted as the ideograph of water. Water combined with root vegetation is an excellent expression of the

151, 152. *Изображения танцора с мечом и Симаргла на створках браслета Серебро. Гравировка, чернь. XII в. Киевский государственный исторический музей*

151, 152. *Representations of a dancer with sword, and Simargl on bracelet sections Silver. Engraving, niello. 12th century Kiev State History Museum*

В нижней зоне браслетов обычно преобладают два орнаментальных мотива: распластанные вширь корневища с отростками и ритмичная плетенка. Иногда плетенке нижнего яруса соответствуют в верхнем ярусе женские фигуры с сосудами в руках. Это позволяет понимать плетенку как идеограмму воды. Вода в сочетании с корнями — прекрасное выражение идеи плодородия, этот сюжет заставляет вспомнить содержание русальных плясок — молений о небесной воде для земных корней.

Большой интерес вызывают солярные знаки, включенные в плетеный орнамент. Это обычно круг, перекрещенный наискось двумя полосами. Иногда встречаются два косых креста без круга. Нередко солнечные знаки (чаще всего парные) как бы сплетены с идеограммой воды. Изображение

fertility idea and a subject which brings to mind the traditional *rusalia* dances—invocations to the heaven to send water for the roots and the ground.

The sun symbols usually incorporated in the intertwining pattern are of great interest. More often than not there is a circle with two oblique lines crossing inside. At times there are just two oblique crosses side by side without a circle. Frequently the solar symbol (more often in pairs) is interwoven with the ideograph of water. Two sun symbols side by side lead us to the ancient Slav calendars, which used this mark for the month of June. The most detailed fourth-century calendar from the village of Romashki near Kiev used two crosses to mark June 24, Kupala Day, the day of the summer solstice which divides the year in two. Kupala Day was preceded by a '*Rusalia* Week'

153. *Изображение Симаргла на створке браслета*
Серебро. Гравировка, чернь. XII в.
Киевский государственный исторический музей

153. *Representation of Simargl on bracelet section*
Silver. Engraving, niello. 12th century
Kiev State History Museum

рядом двух солнечных знаков ведет нас к древним славянским календарям, отмечавшим таким способом месяц июнь. В наиболее подробном календаре IV века из села Ромашки под Киевом двумя крестами отмечен день Купалы (24 июня), день летнего солнцеворота, делящий год надвое. Дню Купалы предшествуют «русальная неделя» и дни, когда полям нужен дождь; сама же «русальная неделя», завершавшаяся купальской ночью с ее поисками трав, плясками и кострами, — это время цветения хлебов, когда дождь не нужен. Купальская обрядность — сочетание культа воды, русалок и солнца, огня. Считалось, что русалки в эти дни выходят из своих источников и рек и бродят по цветущим полям. На календаре из Лепесовки (Волынь), где все двенадцать месяцев изобра-

and the days when the fields need rain most. *'Rusalia* Week', which ended on Kupala Night when people usually went out to gather medicinal herbs, was celebrated with dancing and camp fires and was the period when grain crops were flowering and rain was not needed. The Kupala rites combined the cults of water and water sprites, and of the sun and fire. These were thought to be the days when water sprites left the rivers and lakes and wandered through flowering fields. A calendar from the village of Lepesovka (Volyn) where all the twelve months are depicted by special designs represents the month of June, *'Rusalia* Month', by just two oblique crosses, sun and fire symbols, and a wavy line for water. This combination of two oblique crosses (inside a circle or a rectangular frame) and wavy lines intertwined in a beautiful

154–156. *Изображения фантастических существ на створках браслета*
Серебро. Чеканка, золочение, гравировка, чернь. XII в.
Государственный Русский музей

154–156. *Representations of fabulous creatures on bracelet sections*
Silver. Chasing, gilding, engraving, niello
12th century
State Russian Museum

жены особыми рисунками, июнь, «русальный месяц», обозначен двумя косыми крестами, знаками солнца и огня, и волнистой линией, символом воды. Такое же сочетание двух косых крестов (в кругу или в прямоугольной рамке) с волнистыми линиями, сплетенными в красивый узор, мы видим и на многих широких браслетах, в которых женщины приходили на «бесовские игрища» русалий. Частое изображение в русском декоративном искусстве «двойного солнца», очевидно, связано в своих истоках именно с русальной обрядностью, с двумя периодами в году, когда солнце делит год надвое: в дни зимнего «корочуна» и летних купальских русалий.

Необычен и крайне интересен растительный орнамент на браслетах. Он резко делится по зонам. В нижней

pattern can also be seen on many broad bracelets which the women wore during the 'Satanic Games'–*Rusalias*. The frequent use of 'double suns' as a motif in Russian decorative art had evidently some connection with the customs of the Russian *rusalias*, in other words, with the two periods when the sun divided the year into two: the winter *korochun* and the summer *rusalias* during the Kupala celebration.

The floral design on the bracelets is very unusual and very interesting. It is sharply divided into zones. On the lower zone are usually depicted roots with little eyes and offshoots; sometimes they are arranged in pairs and at other singly, but also with offshoots. The upper zone of the bracelets usually depicts three types of vegetation. These are trefoils and palmettos within a heart-shaped figure with the sharper end

157. *Браслет из клада, найденного в 1966 году в Старой Рязани*
Серебро. Позолота, гравировка, чернь. Конец XII — первая треть XIII в.
Рязанский областной краеведческий музей

158. *Гусляр. Изображение на браслете (сильно увеличено)*

157. *Bracelet from treasure found in Staraya Ryazan in 1966*
Silver. Gilding, engraving, niello. Late 12th–first quarter 13th century
Ryazan Regional Museum of Local Studies

158. *Gusli player. Representation on bracelet (greatly enlarged)*

зоне обычно изображаются корни с «глазками» и побегами или связанные попарно, а иногда отдельные корневища, тоже с побегами. В верхней зоне браслетов встречаются три типа растений. Если это трилистники и пальметки, вписанные в сердцевидную фигуру, помещенную острием вверх, то, очевидно, мы имеем дело со стилизованным изображением молодого папоротника (для опознания важны боковые отростки). В архитектурном декоре папоротник изображался иногда довольно реалистически, как, например, на Дмитриевском соборе во Владимире. Папоротник был повсеместно связан с купальской обрядностью. Часто изображается и «древо жизни» в виде двух сильно изогнутых ветвей растения, то сближающихся, то расходящихся, с овальными плодами на кон-

pointing upwards, apparently representing a stylized delineation of bracken offshoots (the side shoots are very important here for identification). The stylized bracken was also frequently used in architectural décor, and often in a rather realistic form, for example, in the carving of the Cathedral of St Demetrius in Vladimir. So the bracken is usually connected with the Kupala celebrations. Another symbol, the Tree of Life, in the form of two curled boughs, sometimes growing very closely and sometimes spreading out with oval fruit hanging at the ends. The Tree of Life is always shown with two roots and two branches in the form of a heart-shaped figure with sharp ends pointing downwards. Besides these two symbols there is another type of floral ornamentation—two short boughs with half-opened leaves branching away

159. *Браслет. Створка с изображением зайца и птицы*
Серебро. Позолота, гравировка. XII в.
Государственный Исторический музей

159. *Bracelet. Section with representations of hare and bird*
Silver. Gilding, engraving. 12th century
State History Museum

цах ветвей. Древо обязательно имеет два корня и две ветви, образующие при соединении сердцевидную фигуру, обращенную острием вниз. Кроме этих двух, встречается еще один своеобразный тип растительного орнамента: две короткие ветви с полураспустившимися листьями отходят в стороны от центральной вертикальной линии. Иногда может показаться, что этот рисунок не имеет самостоятельного сюжетного значения и применяется просто для заполнения свободной поверхности браслета растительными завитками. Но археологи встречают подобное изображение часто стоящим отдельно в центре колтов или на щитках перстней (в этих случаях ветви отходят горизонтально в обе стороны от центральной вертикальной опоры). Известен этот сюжет и этнографам. Все

from a central vertical line. Somtimes this particular design may appear not to be of independent significance but used to fill in the space with floral arabesques. But archaeologists often come across this pattern used independently in the centre of the *kolt* pendants or on rings (in these cases the boughs spread horizontally away from the central vertical support). The same theme is also encountered by ethnographers, which testifies to this pattern having certain meaning of its own.

It can be surmised that all kinds of floral ornamentation used on bracelets (and perhaps even on *kolts*) express in a highly stylized form various stages in the growth of hops which were considered sacred among the Slavs. Hops were used to prepare the ritual mead and beer; so hops and drinks made from them played the same role

160. *Браслет. Створка с изображением плясуньи и музыканта*
Серебро. Позолота, гравировка. XII в.
Государственный Исторический музей

160. *Bracelet. Section with representation of a dancer and a musician*
Silver. Gilding, engraving. 12th century
State History Museum

это говорит о том, что и этот рисунок наделен самостоятельным смысловым значением.

Можно высказать предположение, что все виды растительного орнамента на браслетах (а может быть, и на колтах) передают в стилизованном виде разные стадии роста священного растения славян — хмеля. Хмель шел на изготовление ритуального меда и пива. Хмель и хмельные напитки играли у славян такую же роль, как хо́ма — священное растение и священное питье у иранцев, или со́ма — у индийцев. Песни о хмеле широко известны у всех славян. Еще в XVI веке существовал обряд церковного освящения хмеля.

Итак, по-видимому, орнамент передает все стадии роста хмеля с ранней весны до июля—августа; появление боковых ветвей и цветение хмеля происходит в июне, совпадая с двумя циклами русалий. Зная огромную роль виноградной лозы в южной орнаментике, мы не должны удивляться широкому применению хмеля в орнаменте тех областей, где виноградарства не было.

В орнаментике некоторых браслетов есть не только языческая символика, связанная с русальной и купальской обрядностью (двойное солнце, струящаяся вода, ветвящийся и цветущий хмель), но и изображения самих русалок и русальных игрищ. Так, на том киевском браслете (клад 1889 г.), где имеется двойной косой крест и символизирующая воду плетенка, в арочках награвированы вилы-русалки, расположенные по сторонам папоротникообразного растения.

Исключительный интерес представляет браслет из клада, найденного в Твери в 1906 году, один из лучших в художественном отношении. На нем изображены две простоволосые женщины, одетые в длинные рубахи без пояса, с рукавами, стянутыми браслетами, с каймой по подолу; широкая орнаментированная полоса идет посреди от ворота до подола. Обе они пьют из треугольных кубков (рогов?). Стоящая слева женщина

with the Slavs as *homa,* the sacred plant and sacred drink of the Persians or the *soma* of the Indians. Songs about hops are well known among the Slavs and as late as the sixteenth century there was a church custom of blessing the hops.

Apparently the bracelet ornamentation represents all stages of the growth of the hops, from early spring to July or August; the appearance of side shoots and flowers takes place in June, coinciding with the two cycles of *rusalias.* As we know the important role played by the vine in southern ornamentation, we cannot be surprised that hops were so widely used in regions where viticulture was not engaged in by the local people.

The designs of some of the bracelets not only depict the pagan symbolism connected with *rusalias* and Kupala rites (double sun, the streaming water, and branching and flowering hops) but also depict the water sprites themselves, and the customary games played during *rusalias.* For example, a Kiev bracelet (excavated in 1889), which bears a double oblique cross and the interlacing pattern symbolizing water, also has engraved representations of water sprites which are set within little arches arranged on both sides of the fern-like plant.

The bracelet from the treasure trove found in 1906 in Tver is one of the most interesting from the artistic point of view. Its design shows two women, with long freely flowing tresses, bare heads and wearing long, loose garments without belts and with long sleeves held in at the wrists with bracelets. The garments are decorated with a broad band at the hem and down the front. The women are drinking from triangular-shaped cups (horns?). The woman on the left holds her cup in her left hand while her right hand rests on the wing of *Simargl. Simargl* seems to be growing from the ground like a plant and curls smoothly at the height of the woman's elbow downwards to touch the ground again with its face. We clearly see the creature's paws and

держит свой кубок левой рукой, а правой прикасается к крылу Симаргла. Симаргл словно вырастает из земли, как растение, а на высоте локтя женщины плавно изгибается и склоняется мордой снова к земле. Ясно видны лапы и крылья. Туловище чудовища, узкое, как стебель, покрыто точками, как изображение стеблей хмеля; хвост похож на корни растений. Рядом с женщинами — мужчина в вышитой рубахе. Он показан в прыжке или танце, правая рука его поднята вверх. Мужчина и женщина, сидящая справа, смотрят на ответвляющиеся парные ветви хмеля. Не этот ли обряд, связанный с неким богом Переплутом, описан в позднейших источниках: «. . . вертячеся пьют ему в розех» (приплясывая, вертясь, пьют в честь него из рогов)? Возможно, это архаичный Симаргл, который был охранителем корней растений, получил впоследствии (от переплетенных корней или плетей хмеля) имя Переплута.

На створках браслетов, хранящихся в Государственном Историческом музее, помещены в арочках птицы и зайцы. Перед зайцами изображены чаши с поддоном вроде тех, из которых пили во время русальных действий. (Известно, что у литовцев существовал «заячий бог», покровитель растительности. Возможно, что у русских тоже существовали подобные представления; недаром на зайцев в древней Руси было «табу», и вплоть до XVII века они не употреблялись в пищу.) На других створках в двух арочках содержатся изображения сидящей женщины с браслетами на руках и мужчины; в двух остальных арках мы видим фигуры мужчины, играющего на каком-то инструменте, и женщины, которая пляшет, распустив до земли рукава.

На киевском браслете кроме двух Симарглов и птицы, прячущей голову под крыло, тоже изображены человеческие фигуры. В середине — гусляр в колпаке, в длинной вышитой рубахе. Он играет на асимметричных пятиструнных гуслях. В левой арке —

wings, while its body, narrow like a stem, is covered with dots in the manner of the stylized representation of the hop plant; *Simargl's* tail is like the roots of plants. Next to the women is a man wearing an embroidered shirt. He is shown jumping or dancing with his right arm raised. The man and the woman sitting on the right are gazing at the double branches of the hop plant. Perhaps the scene depicts the rites connected with the god *Pereplut* described in latter-day chronicles: 'Twirling and dancing, they drink from horns in his honour'; or perhaps it is a representation of the archaic *Simargl,* the guardian of the roots of the plants, who later became known as the God *Pereplut* (a name derived from the intertwining–*perepletenie*–of the roots and the stalks–*plet*–of the growing hop bines).

The bracelets from the History Museum are decorated with birds and hares within arches. Before each hare there is a cup with a base very much resembling those used during the celebrations or *rusalias.* The ancient Lithuanians had a hare-God, the guardian of vegetation. Quite possibly their Russian contemporaries had similar customs; it is interesting to note that hares were taboo in ancient Rus and were never eaten until the seventeenth century. The other parts of the bracelets show a man and a seated woman wearing bracelets on her wrists; within the two remaining arches there is a man playing an instrument, and a dancing woman, with long flowing lavishly embroidered sleeves almost sweeping the ground.

The bracelet from Kiev bears the representation of human figures beside two representations of *Simargl* and a bird with its head under its wing. In the middle of the group is a *gusli* player in a conical cap and long embroidered shirt. His *gusli* is a five-stringed asymmetrical musical instrument. In the left arch is a woman wearing traditional Russian or Ukrainian dress and embroidered blouse. The woman is dancing and her long loose sleeves reach the ground. The right arch shows

женщина в паневе или плахте, в вышитой рубахе. Женщина пляшет, доставая опущенными рукавами до земли. В правой арке — пляшущий мужчина, одежда которого также украшена вышивкой. У мужчины меч и щит. Мы знаем, что на игрищах иногда устраивалось подобие турниров, где участники могли быть «поколоты в игрушке».

Прекрасное изображение русалий есть на браслете, недавно найденном в Старой Рязани. На одной створке браслета изображены два Симаргла-Переплута с человеческими головами, корни хмеля, грифон и птицы. На другой створке над идеограммой воды (плетенка с волнистой линией и каплями) даны все персонажи «идольских игр русалий»: гусляр, окруженный ветвями, играет на гуслях; девушка, изображающая русалку, пляшет с опущенными рукавами и пьет из чаши. В стороне, на проросшем пне, сидит «русалец», обязательный персонаж русальских игр, тоже пьющий из чаши. Около девушки изображена «скурата» — маска, упоминаемая в церковных выступлениях против русалий.

Все эти изображения переносят нас в живую действительность XII века, когда даже княгини и боярыни в дни народных праздников покидали церковную службу ради шумных и веселых карнавалов, посвященных летним молениям о плодородии, и участвовали в «бесовских» действиях в колдовскую купальскую ночь, надевая на себя ритуальные украшения.

Колты и браслеты XII—XIII веков показывают нам, что очень многие орнаментальные мотивы воспринимались как магически-охранительные и были связаны с идеей плодородия и с русальной заклинательной обрядностью, а это дает ключ к пониманию семантики декоративного искусства той эпохи вообще.

Мастерство русских художников, тонко и любовно создававших разнообразное узорочье, восхищало современников и было хорошо известно за рубежами Руси.

a dancing man, wearing clothes decorated with embroidery. He has a sword and shield. We know that the traditional games often included tournaments where the participants might be easily hurt.

The bracelet recently found at Staraya Ryazan has a beautiful representation of the *rusalia* games. One part of it shows a double image of *Simargl (Pereplut)* with human heads, the roots of the hops, and a griffon and some other birds. Another section depicts all the personages of the 'heathen games of the *rusalias*' above the ideograph of water (intertwined wavy lines with drops of water): a *gusli* player in a frame of boughs, a girl representing a water sprite, letting her sleeves fall and at the same time drinking from a cup. Beside them is a man acting the part of a male water sprite sitting on a sprouting tree stump, also drinking from a cup. He was indispensable character in the *rusalia* games. Next to the girl is a *skurata*, a mask often mentioned in Church utterances condemning the heathen practice of the *rusalia* games.

These figures take us back to the twelfth century when even princesses and boyar ladies would leave the church services for the gay and noisy carnivals on the feast days devoted to summer pagan fertility rites, take part in 'Satanic Games' on Kupala Night, wearing ritual ornaments.

The twelfth and thirteenth century *kolts* and bracelets show that many of the ornamental motifs were in fact considered to have magic or protective power and were connected with the idea of fertility and with the rites of the *rusalias*. This gives a key to the understanding of the semantics of the decorative and applied art of that period in general.

The art of the Russian craftsmen who lovingly created the amazing wealth of *uzorochye* enjoyed the admiration of their contemporaries and was famed beyond the borders of ancient Rus.

161. *Изображение птицы на створке браслета из клада, найденного в 1893 году в Киеве*
Серебро. Чеканка, чернь. XII в.
Государственный Русский музей

161. *Representation of bird and plant on a bracelet section from treasure found in Kiev in 1893*
Silver. Chasing, niello. 12th century
State Russian Museum

Перечень иллюстраций

*** В перечне иллюстраций и в подписях под рисунками места дореволюционных археологических находок указаны по старому административному делению в связи с тем, что так они вошли в музейные каталоги и издания.**

Киевский государственный исторический музей

37. Колты
Золото. Перегородчатая эмаль. XII в.
Киевский государственный исторический музей

38. Медальон (с изображением Богоматери) из клада, найденного в 1822 году в Старой Рязани (увеличен)
Золото. Перегородчатая эмаль
XII — начало XIII в.
Государственная Оружейная палата

39. Подвеска в форме «сионца» из клада, найденного в 1822 году в Старой Рязани
Золото. Перегородчатая эмаль, скань. XII в.
Государственная Оружейная палата

40. Киевские серьги
Золото. Скань, зернь. XII в.
Государственный Исторический музей

41. Колт
Серебро. Скань. XII в.
Киевский государственный исторический музей

42. Браслеты
Серебро. Литье, гравировка, чернь. XII в.
Киевский государственный исторический музей

43. Браслет (с изображением птиц и грифонов-василисков) из клада, найденного в 1893 году в Киеве
Серебро. Гравировка, чернь. XII в.
Государственный Русский музей

44. Браслет (с изображением птиц и зверей) из клада, найденного в 1896 году во Владимире
Серебро. Позолота, гравировка. XII—XIII вв.
Государственный Исторический музей

45. Браслет с изображением птиц
Серебро. Гравировка, чернь. XII в.
Государственный Русский музей

46–48. Венец из клада, найденного в 1900 году у села Сахновка, Каневского уезда, Киевской губернии. В центре изображено «Вознесение Александра Македонского». Детали (47, 48) сильно увеличены
Золото. Перегородчатая эмаль. XII в.
Киевский государственный исторический музей

49. Колт
Золото. Перегородчатая эмаль. XII в.
Киевский государственный исторический музей

50. Колт
Золото. Перегородчатая эмаль. XII в.
Киевский государственный исторический музей

51. Колт
Золото. Перегородчатая эмаль. XII в.
Киевский государственный исторический музей

52. Колт (деталь)
Золото. Перегородчатая эмаль. XII в.
Киевский государственный исторический музей

53. Колт
Медь. Перегородчатая эмаль. Начало XIII в.
Киевский государственный исторический музей

54. Колт
Медь. Перегородчатая эмаль. Начало XIII в.
Киевский государственный исторический музей

55. Рясны и колты (последние найдены на Княжей Горе, Черкасского уезда, Киевской губернии)
Золото. Перегородчатая эмаль. XII в.
Киевский государственный исторический музей

56. Колт (оборотная сторона) и подвеска
Медь. Перегородчатая эмаль. XIII в.
Киевский государственный исторический музей

57. Топорик, найденный в 1910 году в Старой Ладоге в слое X—XI вв.
Бронза (лезвие стальное). Ковка
Государственный Русский музей

58, 59. Церемониальный топорик князя Андрея Боголюбского
Сталь, листовое серебро, набитое по насечке
Позолота, гравировка. XII в.
Государственный Исторический музей

60, 61. Царские врата (из б. собрания Н. П. Лихачева). Изображены: Благовещение, евангелисты Иоанн, Матфей, Лука и Марк
Медь. Литье, чеканка, золотая наводка. XII в.
Государственный Русский музей

62. Западные двери Рождественского собора в Суздале. Деталь: «Сошествие святого духа на апостолов»
Медь. Золотая наводка. Начало XIII в.

63–70, 72. Южные двери Рождественского собора в Суздале. Изображены сцены на сюжеты из Ветхого завета (илл. 63, 64, 65, 67), «Покров Богоматери» (илл. 70), фантастические птицы и звери (илл. 66, 68, 69, 72)
Медь. Литье, чеканка, золотая наводка
Первая треть XIII в.

71. Львиная маска на западных дверях Рождественского собора в Суздале
Медь. Литье, чеканка. Начало XIII в.

73–77. Потир (чаша для причастия) из Спасо-Преображенского собора в Переславле-Залесском. Изготовлен князем Андреем Боголюбским в память об отце — князе Юрии Долгоруком. На потире имеется литургическая надпись и изображение деисуса (Христос, Богоматерь, Иоанн Предтеча, архангелы Михаил и Гавриил, св. Георгий)
Серебро. Позолота, чеканка, гравировка
Середина XII в.
Государственная Оружейная палата

78–80. Кратир из Софийского собора в Новгороде. Работа мастера Братилы (см. подпись на илл. 16)
Серебро. Литье, чеканка, позолота, гравировка. Первая четверть XII в.
Новгородский историко-архитектурный музей-заповедник

81–92. Большой сион Софийского собора в Новгороде с изображениями деисуса (на куполе) и апостолов (на дверцах)
Серебро. Чеканка, позолота, чернь
Середина XII в.
Новгородский историко-архитектурный музей-заповедник

93. Малый сион Софийского собора в Новгороде. (Створки утрачены.)
Серебро. Чеканка, позолота. XII в.
Новгородский историко-архитектурный музей-заповедник

94–96. Оклад иконы Корсунской Богоматери из Софийского собора в Новгороде. Детали: «Св. Меркурий» (илл. 94), «Св. Никита» (илл. 95)
Серебро. Чеканка. XII в.
Новгородский историко-архитектурный музей-заповедник

97. Св. Фекла. Изображение на окладе иконы Петра и Павла из Софийского собора в Новгороде
Серебро. Чеканка. XII в.
Новгородский историко-архитектурный музей-заповедник

98. Орнамент на окладе иконы Богоматери Умиление
Серебро. Чеканка, перегородчатая эмаль XIII—XIV вв.
Государственная Оружейная палата

99. Крест-энколпион с изображениями Богоматери Оранты, Николы, апостолов Петра и Павла
Медь. Гравировка, чернь. XIII в.
Государственный Русский музей

100. Ковчег-мощевик с изображением Христа Эммануила и предстоящих Флора и

Лавра. Из ризницы Благовещенского собора Московского Кремля
Серебро. Гравировка, чернь. XII в.
Государственная Оружейная палата

101. Иконка с изображением Глеба (Давида), найденная на Таманском полуострове
Камень-жировик. 1067—1068 гг.
Государственный Исторический музей

102. Кресты-энколпионы с изображениями мучеников Бориса и Глеба
Медь. Литье, чеканка. XII в.
Государственный Русский музей

103–112. Дробницы с изображением деисуса и святых, закрепленные на окладе XIX века с иконы Богоматери Знамения
Золото. Перегородчатая эмаль. XII в.
Новгородский историко-архитектурный музей-заповедник

113–117. Саккос московского митрополита Алексея
Сшит из шелковой византийской ткани в 1364 году. Украшен золотыми дробницами с перегородчатой эмалью первой трети XIII века. Шитье жемчугом XIV века
Государственная Оружейная палата

118. Епитрахиль от облачения московского митрополита Алексея
Шитье жемчугом. Середина XIV в.
Золотые дробницы с перегородчатой эмалью. XIII в.
Государственная Оружейная палата

119. Поруч Варлаама Хутынского из новгородского Хутынского монастыря. Изображен деисус (Христос, Богоматерь, Иоанн Предтеча)
Шитье прядной золотной нитью и мелким жемчугом. XII в.
Новгородский историко-архитектурный музей-заповедник

120–123. Арка от напрестольной сени из княжеского замка Вщиж близ Брянска
Работа мастера Константина
Медь. Литье. Вторая половина XII в.
Государственный Исторический музей

124. «Черниговская гривна». Змеевик князя Владимира Мономаха, найденный под Черниговом
Золото. Литье. Конец XI в.
Государственный Русский музей

125. Подвеска в форме «сионца» (с изображением евангелистов) к ожерелью из клада, найденного в 1887 году в Киеве на территории Михайловского Златоверхого монастыря
Золото. Скань, зернь, перегородчатая эмаль XII в.
Государственный Русский музей

126. Медальон в ожерелье из клада, найденного в 1851 году у деревни Исады около Суздаля
Серебро. Гравировка, чернь, скань, зернь. XII—XIII вв.
Государственный Исторический музей

127. Цепь с подвесками-амулетами из кургана у села Елисеевичи, Духовщинского уезда, Смоленской губернии
Медь. XI—XII вв.
Государственный Исторический музей

128. Подвеска из кургана у села Бочарово, Юхновского уезда, Смоленской губернии
Медь. Литье. XI—XII вв.
Государственный Исторический музей

129. Подвеска из кургана у деревни Эсмоны, Борисовского уезда, Минской губернии
Медь. Литье. XI—XII вв.
Государственный Исторический музей

130, 131. Цепь с подвесками-амулетами из кургана у деревни Александровка, Подольского уезда, Московской губернии
Медь. Литье. XI—XII вв.
Государственный Исторический музей

132. Подвески-амулеты из кургана у села Бочарово, Юхновского уезда, Смоленской губернии
Медь. Литье. XI—XII вв.
Государственный Исторический музей

133–135. Подвески-амулеты из радимичского кургана у села Коханы, Ельнинского уезда, Смоленской губернии
Медь. Литье. XI—XII вв.
Государственный Исторический музей

136, 137. Подвески в виде гребней из кургана у села Влазовичи, Суражского уезда, Черниговской губернии
Медь. Литье. XI—XII вв.
Государственный Исторический музей

138. Подвеска в виде гребня из кургана у села Бочарово, Юхновского уезда, Смоленской губернии
Медь. Литье. XI—XII вв.
Государственный Исторический музей

139, 140. Цепь с подвесками-амулетами из кургана у села Бисерово, Московской губернии
Медь. Литье. XI—XII вв.
Государственный Исторический музей

141. Подвеска в виде рога из кургана у деревни Ворогово, Юрьевского уезда, Владимирской губернии
Медь. Литье. XI—XII вв.
Государственный Исторический музей

142. Маски скоморохов для русальных празднеств. Новгород
Кожа. XIII в.
Государственный Исторический музей

143. Колты с изображениями птиц по сторонам «древа жизни»
Золото. Перегородчатая эмаль. XII в.
Киевский государственный исторический музей

144. Височное кольцо вятичей с языческой композицией из двух коней и дерева
Из Белевского клада в Тульской губернии
Деталь (сильно увеличена)
Серебро. Литье. Начало XIII в.
Государственный Исторический музей

145–148. Браслет из Тверского клада 1906 года. На створках изображено русальное празднество: женщина с кубком, держащая за крыло извивающегося Симаргла; мужчина, пляшущий среди растений; женщина с кубком, сидящая на проросшем пне; «древо жизни» (в виде хмеля); кентаврообразное существо; зверь с «процветшим» хвостом. Детали увеличены
Серебро. Гравировка, чернь. XII в.
Государственный Русский музей

149–153. Браслет с изображениями на створках девушки-плясуньи в одежде со спущенными рукавами, гусляра, танцора с мечом и щитом, Симаргла — распластанной птицы с песьей головой и Симаргла — фантастической птицы, прячущей голову под крыло
Детали увеличены
Серебро. Гравировка, чернь. XII в.
Киевский государственный исторический музей

154–156. Браслет с изображениями фантастических зверей и птиц в плетении
Детали увеличены
Серебро. Чеканка, золочение, гравировка, чернь. XII в.
Государственный Русский музей

157, 158. Браслет из клада, найденного в 1966 году в Старой Рязани. На створках изображены: танцовщица в одежде со спущенными рукавами, гусляр, флейтист, грифоны, птицы, сирины
Серебро. Позолота, гравировка, чернь
Конец XII — первая треть XIII в.
Рязанский областной краеведческий музей

159, 160. Браслет с изображением плясуньи, музыканта, птиц, зверей, плетенки
Серебро. Позолота, гравировка. XII в.
Государственный Исторический музей

161. Браслет из клада, найденного в 1893 году в Киеве (с изображением на створке птицы и растения). Деталь сильно увеличена
Серебро. Чеканка, чернь. XII в.
Государственный Русский музей

List of Plates

1–4. Aurochs horns from the Black Barrow in Chernigov
Silver mounting. Gilding, chasing, carving, niello. 10th century
State History Museum

5. Diamond-shaped temple rings of Novgorodian Slovenes
Silver. Engraving. 12th century
State History Museum

6. 'Jingling pendants'. Finnish ornaments from a barrow in Suzdal District, Vladimir Province
Brass. Casting. 11–12th centuries
State History Museum

7. *Grivnas* (torques) and seven-pointed temple rings of the Radimichi
Brass. Casting. 11–12th centuries
State History Museum

8. *Grivna* (torque), bracelets, rings and temple rings of the Vyatichi
Silver. Casting, engraving. 12–13th centuries
State History Museum

9, 10. Temple rings of the Vyatichi from the Belev treasure in Tula Province
Silver. Casting, engraving. 13th century
State History Museum

11. Beads from barrows in Suzdal District, Vladimir Province
Glass and stone. 10–12th centuries
State History Museum

12, 13. Moulds for silver *kolt* pendants
Sericite. 12th century
Kiev State History Museum

14. Bracelet from treasure found in the grounds of the Mikhailovsky Monastery in Kiev in 1903
Silver. Engraving, niello. 12th century
State History Museum

15. Bracelet from treasure found in Vladimir, at ancient earthworks on the site of the town of Pecherny, near Vladimir Chapel, in 1896
Silver. Engraving, niello. 13th century
State History Museum

16. Signature of the craftsman Flor Bratilo in the bottom of a silver Novgorodian *krater*: 'O Lord help Flor Thy servant. Bratilo made this'
First quarter, 12th century
Novgorod Museum of Architecture and Ancient Monument

17. Beads from treasure found in the village of Sakhnovka, Kanev District, Kiev Province, in 1900
Gold, garnet, amber, onyx. Filigree, granulation. 12th century
Kiev State History Museum

18. Mounting for a cross or reliquary, found in Staraya Ryazan in 1822 (enlarged)
Gold, precious stones. Lace filigree, granulation. 12th century
State Armoury

19. *Kolt* pendant found in Staraya Ryazan in 1822 (detail, greatly enlarged)
Gold, precious stones, pearls. Lace filigree. 12th century
State Armoury

20, 21. *Choros* polycandelon
Brass. Casting. 12th century
Kiev State History Museum

22. Bracelet clasp (detail, greatly enlarged)
Silver. Casting, engraving, niello. 12th century
State Russian Museum

23. Small icon with representation of Christ (enlarged)
Gold, pearls. *Cloisonné* enamel, filigree. Early 13th century
State Armoury

24, 25. *Kolt* pendant (obverse and reverse), found on Knyazhya Hill, Cherkassy District, Kiev Province
Gold. *Cloisonné* enamel. 12th–early 13th century
Kiev State History Museum

26. Necklace with four-pointed cross, beads and cruciform pendants found in the grounds of the Mikhailovsky Monastery in Kiev in 1903
Silver. Chasing, granulation. 12th century
State History Museum

27. Beads from treasure found in the village of Sakhnovka, Kanev District, Kiev Province, in 1900
Gold, stone, pearls. Filigree. 12th century
Kiev State History Museum

28. Necklace of hollow beads and lily-shaped pendants from treasure found near the Church of the Three Church Fathers in Kiev in 1901
Silver. Chasing. 12th century
Kiev State History Museum

29. 'Ryazan *barmy*'. Necklace with medallions and beads from treasure found in Staraya Ryazan in 1822. Depicted on medallions: *St Irene (Orina)*, the *Virgin* and *St Barbara*
Gold, precious stones, pearls. *Cloisonné* enamel, filigree, granulation. 12th century
State Armoury

30. Necklace with medallions and beads from treasure found in Staraya Ryazan in 1822
Gold, precious stones, pearls. Filigree, granulation. 12th century
State Armoury

31. Medallion (with representation of the *Virgin* from necklace in treasure found by the village of Sakhnovka, Kanev District, Kiev Province, in 1900 (enlarged)
Gold, pearls, coloured glass. *Cloisonné* enamel, granulation. 12th–early 13th century
Kiev State History Museum

32. Medallion (with representation of *Christ*) from necklace in treasure found by the village of Sakhnovka, Kanev District, Kiev Province, in 1900 (enlarged)
Gold, pearls, coloured glass. *Cloisonné* enamel, granulation. 12th–early 13th century
Kiev State History Museum

33. Medallion (with representation of *archangel*) from necklace in treasure found by the village of Sakhnovka, Kanev District, Kiev Province, in 1900 (enlarged)
Gold, pearls, coloured glass. *Cloisonné* enamel, granulation. 12th–early 13th century
Kiev State History Museum

34. *Ryasnos*
Gold. *Cloisonné* enamel. 12th–early 13th century
State History Museum

35. Ring with Grand Prince's insignia from treasure found by the Holy Lake near the village of Nizovka, Sosnitsy District, Chernigov Province
Silver. Chasing. 12th century
State History Museum

36. Ear-ring in Kiev style from treasure found at Bolshaya Zhitomirskaya Street, Kiev, in 1902
Silver. Filigree, granulation. 12th century
Kiev State History Museum

37. *Kolt* pendants
Gold. *Cloisonné* enamel. 12th century
Kiev State History Museum

38. Medallion (with representation of the *Virgin*) from treasure found in Staraya Ryazan in 1822 (enlarged)
Gold. *Cloisonné* enamel. 12th–early 13th century
State Armoury

39. Pendant in the form of a *Zion* from treasure found in Staraya Ryazan in 1822
Gold. *Cloisonné* enamel, filigree. 12th century
State Armoury

40. Kiev ear-rings
Gold. Filigree, granulation. 12th century
State History Museum

41. *Kolt* pendant
Silver. Filigree. 12th century
Kiev State History Museum

42. Bracelets
Silver. Casting, engraving, niello. 12th century
Kiev State History Museum

43. Bracelet (with representations of birds and *griffon-basilisks*) from treasure found in Kiev in 1893
Silver. Engraving, niello. 12th century
State Russian Museum

44. Bracelet (with representations of birds and beasts) from treasure found in Vladimir in 1896
Silver. Gilding, engraving. 12th–13th century
State History Museum

45. Bracelet with representations of birds
Silver. Engraving, niello. 12th century
State Russian Museum

46–48. Diadem from treasure found near the village of Sakhnovka, Kanev District, Kiev Province, in 1900. Representation of the *Ascension of Alexander the Great* in centre. Details (47, 48), greatly enlarged
Gold. *Cloisonné* enamel. 12th century
Kiev State History Museum

49. *Kolt* pendant
Gold. *Cloisonné* enamel. 12th century
Kiev State History Museum

50. *Kolt* pendant
Gold. *Cloisonné* enamel. 12th century
Kiev State History Museum

51. *Kolt* pendant
Gold. *Cloisonné* enamel. 12th century
Kiev State History Museum

52. *Kolt* pendant (detail)
Gold. *Cloisonné* enamel. 12th century
Kiev State History Museum

53. *Kolt* pendant
Brass. *Cloisonné* enamel. Early 12th century
Kiev State History Museum

54. *Kolt* pendant
Brass. *Cloisonné* enamel. Early 12th century
Kiev State History Museum

55. *Ryasnos* and *kolts* (the latter were found on Knyazhya Hill, Cherkassy District, Kiev Province)
Gold. *Cloisonné* enamel. 12th century
Kiev State History Museum

56. *Kolt* (reverse) and pendant
Brass. *Cloisonné* enamel. 13th century
Kiev State History Museum

57. Ceremonial axe, found at Staraya Ladoga in the 10th–11th century layer, in 1910
Bronze (cutting edge of steel). Forging
State Russian Museum

58, 59. Ceremonial axe of Prince Andrei Bogolyubsky
Steel, silver damascening. Gilding, engraving. 12th century
State History Museum

60, 61. Royal Doors (from the N. P. Likhachov collection) with representations of the *Annunciation*, the *Evangelists John, Matthew, Luke and Mark*
Brass. Casting, chasing, fire-gilding.
12th century
State Russian Museum

62. West doors of the Nativity Cathedral in Suzdal. Detail: *The Descent of the Holy Ghost*
Brass. Fire-gilding. Early 13th century

63–70, 72. South doors of the Nativity Cathedral in Suzdal with scenes from the Old Testament (ill. 63, 64, 65, 67), the *Intercession of the Virgin* (ill. 70), fabulous birds and beasts (ill. 66, 68, 69, 72)
Brass. Casting, chasing, fire-gilding. First quarter, 13th century. Details

71. Lion mask with a ring-handle on the west doors of the Nativity Cathedral in Suzdal
Brass. Casting, chasing. Early 13th century

73–77. Chalice (communion cup) from the Cathedral of the Transfiguration in Pereslavl-Zalessky. Commissioned by Prince Andrei Bogolyubsky in memory of his father, Prince Yuri Dolgoruki. Chalice bears a liturgical inscription and representation of *a Deesis* (Christ, the Virgin, St John the Baptist, the Archangels Michael and Gabriel, and St George)
Silver. Gilding, chasing, engraving. Mid-12th century
State Armoury

78–80. *Krater* from St Sophia's in Novgorod. Work of Flor Bratilo (see caption to ill. 16)
Silver. Casting, chasing, gilding, engraving. First quarter, 12th century
Novgorod Museum of Architecture and Ancient Monument

81–92. Grand *Zion* from St Sophia's in Novgorod with representations of the *Deesis* (on the cupola) and the *Apostles* (on the doors)
Silver. Chasing, gilding, niello. Mid-12th century
Novgorod Museum of Architecture and Ancient Monument

93. Minor *Zion* of St Sophia's in Novgorod. (Door leaves missing)
Silver. Chasing, gilding. 12th century
Novgorod Museum of Architecture and Ancient Monument

94–96. Mounting for the *Virgin of Kherson* icon from St Sophia's in Novgorod. Details.
St Mercury (ill. 94), *St Nicetas* (ill. 95)
Silver. Chasing. 12th century
Novgorod Museum of Architecture and Ancient Monument

97. *St Thecla.* Representation on the mounting for the *SS Peter and Paul* icon of St Sophia's in Novgorod
Silver. Chasing. 12th century
Novgorod Museum of Architecture and Ancient Monument

98. Design on the mounting for the *Virgin Eleusa* icon
Silver. Chasing, *cloisonné* enamel. 13th–14th centuries
State Armoury

99. Encolpion with representations of the *Virgin Orans, St Nicholas* and the *Apostles Peter and Paul*
Brass. Engraving, niello. 13th century
State Russian Museum

100. Reliquary with representations of *Christ Emmanuel* and the interceding *SS Florus and Laurus.* From the Cathedral of the Annunciation in the Moscow Kremlin
Silver. Engraving, niello. 12th century
State Armoury

101. Small icon with image of *St Gleb (David)* found on the Taman Peninsula
Steatite. 1067–1068
State History Museum

102. Encolpions with images of the *Martyrs Boris and Gleb*
Brass. Casting, chasing. 12th century
State Russian Museum

103–112. Plaques with images of the *Deesis* and Saints on the 19th-century mounting for the *Virgin Blacherniotissa* icon
Gold. *Cloisonné* enamel. 12th century
Novgorod Museum of Architecture and Ancient Monument

113–117. Sakkos of Alexius, Metropolitan of Moscow
Made from Byzantine silk cloth in 1364
Decorated with gold and *cloisonné* enamel plaques of the first quarter, 13th century
14th-century pearl embroidery
State Armoury

118. Epitrachelion of the vestments of Alexius, Metropolitan of Moscow
Pearl embroidery. Mid-14th century
Gold plaques with *cloisonné* enamel.
13th century
State Armoury

119. Maniple of Varlaam of Khutyn, from the Khutyn Monastery in Novgorod. Representation of the *Deesis* (Christ, the Virgin, St John the Baptist)
Spun gold and river pearl embroidery.
12th century

Novgorod Museum of Architecture and Ancient Monument

120–123. Arch of the altar canopy from Vshchizh Castle near Bryansk. Work of Master Constantine
Brass. Casting. Second half, 12th century
State History Museum

124. 'Chernigov *Grivna*'. Serpentine-amulet of Prince Vladimir Monomachus, found near Chernigov
Gold. Casting. Late 11th century
State Russian Museum

125. Pendants in the form of a *Zion* with images of the *Evangelists* of the necklace from treasure found in Kiev on the site of the Mikhailovsky ('Golden Tops') Monastery in 1887
Gold. Filigree, granulation, *cloisonné* enamel. 12th century
State Russian Museum

126. Medallion of the necklace from treasure found outside the village of Isady near Suzdal in 1851
Silver. Engraving, niello, filigree, granulation. 12th–13th centuries
State History Museum

127. Chain with pendant amulets from a barrow outside the village of Yeliseyevichi, Dukhovshchina District, Smolensk Province
Brass. 11th–12th centuries
State History Museum

128. Pendant from a barrow outside the village of Bocharovo, Yukhnov District, Smolensk Province
Brass. Casting. 11th–12th centuries
State History Museum

129. Pendant from a barrow outside the village of Esmona, Borisov District, Minsk Province
Brass. Casting. 11th–12th centuries
State History Museum

130, 131. Chain with pendant amulets from a barrow outside the village of Alexandrovka, Podolsk District, Moscow Province
Brass. Casting. 11th–12th centuries
State History Museum

132. Pendant amulets from a barrow outside the village of Bocharovo, Yukhnov District, Smolensk Province
Brass. Casting. 11th–12th centuries
State History Museum

133–135. Pendant amulets from a Radimichi barrow outside the village of Kokhany, Yelnya District, Smolensk Province
Brass. Casting. 11th–12th centuries
State History Museum

136, 137. Pendants in the form of combs from a barrow by the village of Vlazovichi, Surazh District, Chernigov Province
Brass. Casting. 11th–12th centuries
State History Museum

138. Pendant in the form of a comb from a barrow by the village of Bocharovo, Yukhnov District, Smolensk Province
Brass. Casting. 11th–12th centuries
State History Museum

139, 140. Chain with pendant amulets from a barrow outside the village of Biserovo, Moscow Province
Brass. Casting. 11th–12th centuries
State History Museum

141. Pendant in the form of a horn from a barrow outside the village of Vorogovo, Yuriev District, Vladimir Province
Brass. Casting. 11th–12th centuries
State History Museum

142. Jesters' masks for *rusalia* festivities
Novgorod. Leather. 13th century
State History Museum

143. *Kolt* pendants with representations of birds flanking the Tree of Life
Gold. *Cloisonne* enamel. 12th century
Kiev State History Museum

144. Vyatichi temple ring with a pagan composition of two horses and a tree. From the Belev treasure in Tula Province. Detail (greatly enlarged)
Silver. Casting. Early 13th century
State History Museum

145–148. Bracelet from the Tver treasure found in 1906. Sections depict *rusalia* revelries: maiden with a cup, holding a writhing *Simargl* by its wing; man dancing amidst foliage; maiden with a cup sitting on a flowering tree stump; the Tree of Life (as a hop-bine); centaur-like creature; beast with a 'flowering' tail. Details, enlarged
Silver. Engraving, niello. 12th century
State Russian Museum

149–153. Bracelet with representations of girl dancer in robe with long trailing sleeves; *gusli* player; dancer with sword and shield; *Simargl* as a dog-head bird with wings outspread and *Simargl* as a fabulous bird with its head tucked under a wing. Details enlarged
Silver. Engraving, niello. 12th century
Kiev State History Museum

154–156. Bracelet with representations of fabulous birds and beasts interlaced. Details, enlarged
Silver. Chasing, gilding, engraving, niello. 12th century
State Russian Museum

157, 158. Bracelet from treasure found in Staraya Ryazan in 1966. Depicted on sections: girl dancer in robe with long trailing sleeves, *gusli* player, flutist, griffons, birds, sirens
Silver. Gilding, engraving, niello. Late 12th–first quarter, 13th century
Ryazan Regional Museum of Local Studies

159, 160. Bracelet with representations of girl dancer, musician, birds, beasts, interlacing
Silver. Gilding, engraving. 12th century
State History Museum

161. Bracelet (with representations of bird and plant) from treasure found in Kiev in 1893. Detail, greatly enlarged
Silver. Chasing, niello. 12th century
State Russian Museum

Библиография

В. Г. Анастасевич. Известие о золотой гривне, найденной близ Чернигова в 1821 г.— Статья, напечатанная в «Отечественных Записках» (т. VIII, кн. 20), исправленная и умноженная. СПб., 1821.

П. Кеппен. Список русским памятникам. М., 1822.

К. Ф. Калайдович. Письма к А. Ф. Малиновскому об археологических исследованиях в Рязанской губернии с рисунками найденных там в 1822 г. древностей. М., 1823.

А. Оленин. Рязанские русские древности. СПб., 1831.
Древности Российского государства, отд. I. М., 1849.

И. Е. Забелин. О металлическом производстве в России до конца XVII столетия.— Записки Археологического общества, т. V. СПб., 1853.

И. Е. Забелин. Исторический обзор финифтяного и ценинного дела в России. — Записки Археологического общества, т. VI. СПб., 1855.

П. Соловьев. Описание новгородского Софийского собора. СПб., 1858.

Макарий, архим. Археологическое описание церковных древностей в Новгороде и его окрестностях, ч. II. М., 1860.

В. В. Стасов. Владимирский клад. — Известия Археологического общества, т. VI. СПб., 1868.

И. И. Срезневский. Древние памятники русского письма и языка. СПб., 1882.

А. С. Уваров. Суздальское оплечье. — Древности. Труды Московского археологического общества, т. V, вып. I. М., 1885.

И. И. Толстой. О русских амулетах, называемых змеевиками. — Записки Русского археологического общества, т. III. СПб., 1888.

Н. П. Кондаков. История и памятники византийской земли. — Вводная статья к изданию византийских эмалей А. В. Звенигородского. СПб., 1892.

Н. П. Кондаков. Русские клады. Исследование древностей великокняжеского периода, т. I. СПб., 1896.

Д. Н. Анучин. О христианских крестах и образках в могилах средней и западной России. — Известия X Археологического съезда в Риге 1896 г. Рига, 1896.

В. И. Сизов. Древний железный топорик из коллекций Исторического музея. — Археологические известия и заметки, т. V. М., 1897.

А. В. Орешников. Заметка о потире Переяславль-Залесского собора. — Археологические известия и заметки, изданные Московским археологическим обществом, № 11. М., 1897.

И. Толстой и Н. Кондаков. Русские древности в памятниках искусства, вып. V и VI. СПб., 1897 и 1899.

Б. И. и В. И. Ханенко. Древности русские, вып. I. Киев, 1899; вып. II. Киев, 1900.

А. Спицын. Владимирские курганы. — Известия Археологической комиссии, вып. 15. СПб., 1905.

Б. И. и В. И. Ханенко. Древности Приднепровья, вып. V. Киев, 1902; вып. VI. Киев, 1907.

Д. Я. Самоквасов. Описание археологических раскопок и собрания древностей («Могилы Русской земли»). — Труды Московского Комитета по устройству Черниговского археологического съезда. М., 1908.

Ф. И. Буслаев. Сочинения, т. I. СПб., 1908.

Д. В. Айналов. Очерки и заметки по истории древне-русского искусства. — Известия Отделения русского языка и словесности, т. XV, кн. 3. СПб., 1910.

А. С. Уваров. Древний храм на Вщижском городище. — Сборник мелких трудов, т. I. М., 1910.

Н. В. Покровский. Иерусалимы или Сионы Софийской ризницы в Новгороде. — Вестник археологии и истории, изд. импер. Археологическим институтом, вып. 21. СПб., 1911.

М. И. Михайлов. Памятники русской вещевой палеографии. Пособие для слушателей СПб. Археологического института. СПб., 1913.

Н. В. Покровский. Древняя ризница новгородского Софийского собора. — Труды XV Археологического съезда в Новгороде 1911 г., т. I. М., 1914.

А. Соболевский. Медные врата. — В кн.: Русская икона, т. I. СПб., 1914.

[Е. А. Рыдзевская]. Тверской клад 1906 г. — Записки Отделения русской и славянской археологии Русского археологического общества, т. XI. Петроград, 1915.

А. А. Спицын. Декоративные топорики. — Записки Отделения русской и славянской археологии Русского археологического общества, т. XI. Петроград, 1915.

В. Мясоедов. Кратиры Софийского собора в Новгороде. — Записки Отделения русской и славянской археологии Русского археологического общества, т. X. Петроград, 1915.

Д. Самоквасов. Могильные древности Северянской Черниговщины. М., 1917.

В. Никольский. Древнерусское декоративное искусство. Петроград, 1923.

А. И. Некрасов. Очерки декоративного искусства Древней Руси. М., 1924.

В. А. Городцов. Симбирский древний топорик. — Труды ГИМ, вып. I. М., 1926.

Н. П. Лихачев. Материалы для истории византийской и русской сфрагистики, вып. I. — Труды музея палеографии. Л., 1928.

Н. Репников. О древностях Тьмутаракани. — Труды секции археологии РАНИОН, IV. М., 1928.

Н. Гальнбек. О технике золоченых изображений на Лихачевских вратах в Государственном Русском музее. — Материалы по русскому искусству, изданные художественным отделом Государственного Русского музея, т. I. Л., 1928.

А. В. Арциховский. Курганы вятичей. М., 1930.

А. С. Гущин. Памятники художественного ремесла Древней Руси X—XIII вв. Л., 1936.

Ф. Я. Мишуков. К вопросу о технике золотой и серебряной наводки по красной меди в Древней Руси. — Краткие сообщения о докладах и полевых исследованиях Института истории материальной культуры АН СССР, вып. XI. М., 1945.

Е. К. Медведева. О датировке врат Суздальского собора. — Краткие сообщения о докладах и полевых исследованиях Института истории материальной культуры АН СССР, вып. XI. М., 1945.

Б. А. Рыбаков. Ремесло Древней Руси. М., 1948.

Б. А. Рыбаков. Древние элементы в русском народном творчестве. — Советская этнография, № 1. М., 1948.

Б. А. Рыбаков. Древности Чернигова. — Материалы и исследования по археологии древнерусских городов, т. I. М. — Л., 1949. (Материалы и исследования по археологии СССР, № 11.)

Г. Ф. Корзухина. Киевские ювелиры накануне монгольского завоевания. — Советская археология, т. XIV. М. — Л., 1950.

Б. А. Рыбаков. Ремесло. — История культуры Древней Руси, т. I. М. — Л., 1951.

Б. А. Рыбаков. Прикладное искусство и скульптура. — История культуры Древней Руси, т. II. М. — Л., 1951.

А. С. Орлов. Библиография русских надписей XI—XV вв. М. — Л., 1952.

Б. А. Рыбаков. Прикладное искусство Киевской Руси IX—XI веков и южнорусских княжеств XII—XIII веков. — История русского искусства, т. I. М., 1953.

А. В. Арциховский. Прикладное искусство Новгорода. — История русского искусства, т. II., М., 1954.

Г. Ф. Корзухина. Русские клады IX—XIII вв. М. — Л., 1954.

М. В. Алпатов. Русское искусство с древнейших времен до начала XVIII века. — Всеобщая история искусств, т. III. М., 1955.

Художественные памятники Московского Кремля. М., 1956.

Л. В. Алексеев. Лазарь Богша — мастер-ювелир XII в. (Из истории прикладного искусства Полоцкой земли.) — Советская археология, № 3. М., 1957.

В. Л. Янин. Из истории русской художественной и политической жизни XII в. — Советская археология, № 1. М., 1957.

М. К. Каргер. Древний Киев, т. I. М. — Л., 1958.

В. Л. Янин. О датировке врат Суздальского собора. — Советская археология, № 3. М., 1959.

В. Д. Лихачева. Десять русских эмалей XII века Новгородского историко-художественного музея. — Новгородский исторический сборник, вып. 10. Новгород, 1962.

Русское декоративное искусство от древнейшего периода до XVIII века, т. I. М., 1962.

А. Н. Свирин. Древнерусское шитье. М., 1963.

Б. А. Рыбаков. Русские датированные надписи XI—XIV веков. — Свод археологических источников, вып. ЕI-44. М., 1964.

Г. Ф. Корзухина. Ладожский топорик. — Культура Древней Руси (сборник к сорокалетию научной деятельности Н. Н. Воронина). М., 1966.

Г. Гольдберг, Ф. Мишуков, Н. Платонова, М. Постникова-Лосева. Русское золотое и серебряное дело XV—XX веков. М., 1967.

Б. А. Рыбаков. Русалии и бог Симаргл-Переплут. — Советская археология, № 2. М., 1967.

В. П. Даркевич, А. Л. Монгайт. Старорязанский клад 1966 года. — Советская археология, № 2. М., 1967.

А. Л. Монгайт. Художественные сокровища Старой Рязани. М., 1967.

Г. Н. Бочаров. Торевтика Великого Новгорода XII—XV веков. — Древнерусское искусство. Художественная культура Новгорода. М., 1968.

Т. И. Макарова, С. А. Плетнева. О центрах эмальерного дела Древней Руси.— Славяне и Русь (сборник к шестидесятилетию академика Б. А. Рыбакова). М., 1968.

Г. Н. Бочаров. Прикладное искусство Новгорода Великого. М., 1969.

РЫБАКОВ БОРИС АЛЕКСАНДРОВИЧ

«РУССКОЕ ПРИКЛАДНОЕ ИСКУССТВО X—XIII ВЕКОВ»

Альбом

Художник И. ЖИХАРЕВ
Переводчик Н. ДЖОНСТОН
Фотограф М. УСПЕНСКИЙ
Редактор Ю. КУЗНЕЦОВА
Художественный редактор С. ГУСЕВА
Технический редактор Г. КОРОТКОВА
Корректор Г. РУСАКОВА

Подписано в печать 30/VI-1970 г.
Формат 60×100/8. Бумага мелованная.
Объем 16 печ. л.
Заказ № 005523. Изд. № 18-67. (6-68)

Издательство «Аврора». Ленинград. 1971

Издано в СССР